LECTURES

MW00861943

Les Lectures ELI prése.
complète de publications allant des
histoires contemporaines et captivantes
aux émotions éternelles des grands
classiques. Elles s'adressent aux lecteurs
de tout âge et sont divisées en trois
collections : Lectures ELI Poussins,
Lectures ELI Juniors et Lectures ELI
Seniors. Outre leur grande qualité
éditoriale, les Lectures ELI fournissent
un support didactique facile à gérer et
capturent l'attention des lecteurs
avec des illustrations ayant un fort impact
artistique et visuel.

Alexandre Dumas

La tulipe noire

Adaptation libre et activités de Dominique Guillemant
Illustrations de Daniela Tieni

LECTURES ELI SENIORS

PIERRE BORDAS ET FILS

La tulipe noire
Alexandre Dumas

Adaptation libre et activités de Dominique Guillemant
Illustrations de Daniela Tieni
Révision linguistique : Morgane Santamarianuova

Lectures ELI
Création de la collection et coordination éditoriale
Paola Accattoli, Grazia Ancillani, Daniele Garbuglia (Directeur artistique)

Conception graphique
Sergio Elisei

Mise en page
Airone Comunicazione

Responsable de production
Francesco Capitano

Crédits photographiques
Gettyimages, Shutterstock

© 2016 ELI S.r.l.
B.P. 6 - 62019 Recanati - Italie
Tél. +39 071 750701
Fax +39 071 977851
info@elionline.com
www.elionline.com

Fonte utilisée 11,5 / 15 points Monotype Dante

Achevé d'imprimer en Italie par Tecnostampa Recanati ERA 327.01
ISBN 978-88-536-2112-2

Première édition Février 2016

www.elireaders.com

Sommaire

Les parties de l'histoire enregistrées sur le CD sont signalées par les symboles qui suivent :
Début **Fin**

LES PERSONNAGES PRINCIPAUX

Corneille
et Jean de Witt

Guillaume
d'Orange

Van Systens

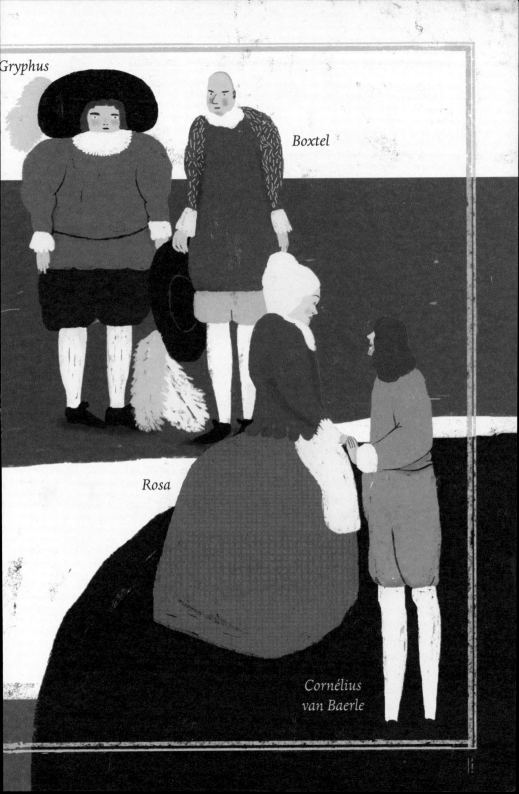

Gryphus

Boxtel

Rosa

Cornélius
van Baerle

Le contexte économique

1 La tulipomanie
Lis le texte et fais l'activité demandée.

Au dix-septième siècle, la Hollande est une grande puissance économique. En 1637, elle connaît la première crise financière de l'histoire. Les économistes actuels recourent volontiers à cet épisode pour mieux faire comprendre les dynamiques des marchés financiers et les risques que comporte la spéculation. Mais que s'est-il passé ?

À cette époque, posséder des tulipes, c'est chic ! La nouvelle bourgeoisie néerlandaise est très friande de cette fleur importée de Turquie par Charles de l'Ecluse, un passionné d'horticulture. La tulipe devient donc un objet de luxe qu'il faut à tout prix posséder. Mais ce marché reste fortement lié à la période de floraison de la tulipe. On achète les fleurs qui n'existent pas encore au mois de décembre dans l'intention de les revendre au mois de juin, quand la tulipe fleurit vraiment. Ainsi la spéculation va bon train, les prix augmentent de façon vertigineuse : le prix d'un bulbe équivaut à presque 20 fois le salaire d'un artisan et il coûte même plus cher qu'un tableau de Rembrandt ! En 1637, le prix des bulbes s'effondre : le nombre de tulipes vendues dépasse le nombre de tulipes réellement produites. Il est impossible d'honorer tous les contrats, c'est ce qu'on appelle la « bulle » spéculative. De nombreux marchands ont fait banqueroute et beaucoup ont été ruinés. En avril 1637, tous les accords spéculatifs ont été annulés et le prix maximum pour un bulbe de tulipe a été fixé à 50 florins.

C'est sur cette folie financière qu'Alexandre Dumas a brodé son roman *La Tulipe noire*. L'action se situe en 1672, trente-cinq ans après la crise de la tulipe. Le héros du roman concentre tous ses efforts pour créer la tulipe noire qui, comme à l'époque de la crise, se traduit par une recherche obsessionnelle non seulement de la fleur rare mais aussi par l'appât du gain : une Société horticole promet une récompense de 100 000 florins !

Curiosité : On serait arrivés à dépenser jusqu'à 5000 florins pour acheter une tulipe, c'était en fait le prix d'un immeuble bourgeois de l'époque à Amsterdam. Un vrai record ! Il s'agit de la Semper Augustus achetée dans une ville qui était le centre du commerce des tulipes au 17ème siècle. **Pour connaître le nom de cette ville, lis les définitions, complète la grille et lis les cases colorées.**

1 Beaucoup font banqueroute.
2 Impossible de les honorer tous !
3 La crise hollandaise en montre les risques.
4 Pays d'origine de la Tulipe.
5 Son prix est fixé à 50 florins.
6 La classe sociale friande de tulipes.
7 Peintre hollandais du 17ème siècle.

Vocabulaire

2 Associe correctement pour connaître le sens des expressions.

1 ☐E Les fortunes fondent comme neige au soleil.
2 ☐C Les marchands se retrouvent sur la paille.
3 ☐F Les bulbes coûtent les yeux de la tête.
4 ☐B La spéculation est le cheval de bataille des économistes.
5 ☐A Charles de l'Ecluse a la bosse de l'horticulture.
6 ☐D Acheter des tulipes rares, c'est jouer gros jeu.

a être très doué
b sujet préféré.
c sombrer dans la misère.
d prendre de grands risques
e disparaître rapidement.
f très cher.

3 Remets dans l'ordre cette phrase de Dumas évoquant le comportement des personnages qui gêneront Cornélius van Baerle.

terrible / idées / des / Le / mauvaises, / que / se familiarisent / les mauvais / elles. / c'est / esprits / peu à peu / avec

Le terrible c'est que peu à peu les mauvais esprits des mauvaises idées se familiarisent avec elles.

Chapitre 1

Le massacre des frères de Witt

▶ 2 20 août 1672, voilà ce qui se passait dans la ville de La Haye, si vivante, si blanche, si coquette avec ses grands arbres inclinés sur les maisons gothiques, avec les larges miroirs de ses canaux dans lesquels se reflètent ses clochers. La capitale des sept Provinces unies, voyait courir dans ses rues un flot noir et rouge de citoyens pressés armés de couteaux, de mousquets* et de bâtons. Ils se dirigeaient vers le Buitenhof, la prison où était enfermé Corneille de Witt, frère de Jean de Witt, l'ex-grand pensionnaire* de Hollande.

Le climat était à l'époque très lourd en Hollande. Les deux Witt ménageaient Louis XIV dont ils sentaient grandir l'ascendant* moral sur toute l'Europe mais qui était depuis longtemps l'ennemi des Hollandais. Jean de Witt avait été le précepteur de Guillaume d'Orange et l'avait élevé dans le but d'en faire un bon citoyen mais la population était favorable au stathoudérat* qu'il avait aboli dans le pays. Guillaume d'Orange dit le Taciturne, âgé de vingt-deux ans, avait donc pris le pouvoir et Corneille, supplié par sa femme, avait donc fini par signer l'acte qui rétablissait ce système politique. Son frère Jean, dont l'adhésion avait été plus rapide, fut victime d'une tentative d'assassinat mais resta en vie.

Les frères de Witt représentaient un obstacle pour les orangistes*

---

mousquets armes à feu
grand pensionnaire secrétaire exécutif et législatif de la province de Hollande au 17ème siècle
ascendant ici, influence

stathoudérat système politique aux Pays-Bas du 14ème au 17ème siècle
orangistes partisans de la famille royale d'Orange-Nassau

qui choisirent la calomnie pour se libérer d'eux. Un certain Tyckelaer déclara que Corneille l'avait engagé pour assassiner Guillaume d'Orange. Ce mensonge fit arrêter Corneille le 16 août 1672 et on le tortura pour le faire avouer. Il fut banni du territoire, ce qui était déjà une petite satisfaction pour le peuple, mais ce n'était pas assez.

Jean de Witt, après avoir vu accuser son frère, avait quitté sa charge de grand pensionnaire. Le 20 août, toute la ville courait pour assister à la sortie de prison de Corneille de Witt.

– Empêchons-les de partir ! criait la foule.

– Vive Orange ! Mort aux traîtres !

Mais les soldats du capitaine Tilly faisaient reculer bourgeois et peuple pendant que derrière eux Jean de Witt venait de descendre de carrosse et rejoignait à pied la prison.

– Bonjour Gryphus, dit-il au concierge, je viens chercher mon frère pour l'emmener hors de la ville.

Entré dans l'édifice, il avait rencontré une belle jeune fille de 17 ans, en costume de Frisonne* qui lui avait fait une charmante révérence.

– Bonjour, bonne et belle Rosa ; comment va mon frère ?

– Oh ! Monsieur Jean, je crains pour lui, on veut lui faire du mal.

Calme, mais plus mélancolique qu'en entrant, l'ex-grand pensionnaire s'achemina* vers la chambre de son frère. Dehors, Tilly avait du mal à retenir le peuple dont les menaces redoublaient et auxquelles il répondait avec courtoisie qu'il ne faisait qu'exécuter les ordres en les empêchant de s'approcher de la prison.

– Laissez-nous passer ! criait le peuple. Vous ferez un acte de bon citoyen.

Frisonne originaire de la Frise, province du nord des Pays-Bas   **s'achemina** se déplaça, se dirigea

– D'abord je ne suis pas citoyen, dit Tilly, je suis un officier français. Apportez-moi l'ordre de céder la place et je ferai demi-tour.

Le peuple se rendit donc à la maison de ville pour obtenir ce qu'il voulait. Entre temps, Jean de Witt avait rejoint son frère. Il était étendu sur son lit, les poignets et les doigts brisés. Il n'avait même pas la force de se lever pour regarder par la fenêtre grillagée pour voir ce qui se passait dehors.

– Corneille, dit Jean, mon pauvre frère. Vous souffrez beaucoup n'est-ce pas ?

– Je ne souffre plus puisque je vous vois. Aidez-moi à me lever. Vous venez me chercher n'est-ce pas ? demanda Corneille.

– Mon carrosse est derrière les troupes de Tilly. J'ai pris des rues écartées* pour arriver ici. Vous entendez comme ces gens sont en colère ? Les orangistes nous reprochent d'avoir négocié avec la France.

– Mais si ces négociations avaient réussi, elles auraient épargné bien des défaites et la Hollande pourrait encore se croire invincible au milieu de ses marais et de ses canaux.

– Et si l'on trouvait notre correspondance avec M. Louvois, cela prouverait combien j'aime mon pays et combien j'ai lutté pour sa liberté. Mais cette correspondance nous perdrait auprès des orangistes, nos vainqueurs. Aussi, Corneille, j'espère que vous l'avez brûlée avant de quitter Dordrecht pour venir me rejoindre à La Haye.

– Je l'ai confiée à mon filleul Cornélius Van Baerle qui demeure à Dortrecht, répondit Corneille.

– Oh ! Le pauvre garçon ! Lui qui ne pense qu'aux fleurs ! Si un jour il saura ce qui nous arrive, s'il est fort il se vantera de nous ; s'il

écartées éloignées

est faible il criera le secret. Dans l'un et l'autre cas, il est perdu et nous aussi. Vite ! Fuyons !

– Le principal, c'est qu'il gardera ce secret, vu qu'il ne le connaît même pas, conclut Corneille.

– Vite alors ! s'écria Jean. Faisons-lui passer l'ordre de brûler la liasse* par mon serviteur Craeke. S'ils trouvaient ces papiers, ils nous tueraient ! répondit Jean.

Ils rejoignirent Craeke auquel Corneille remit cette lettre pour Cornélius, écrite sur une page de sa Bible.

> *Cher filleul,*
> *Brûle le dépôt que je t'ai confié sans le regarder.*
> *Les secrets de ce genre tuent les dépositaires. Brûle, et tu auras*
> *sauvé Jean et Corneille.*
> *Adieu.*
>
> *Corneille de Witt*
> *20 août 1672*

Pendant ce temps, non loin de la prison, un jeune étranger de 22 ans, au visage pâle et long, au front mouillé de sueur et aux lèvres brûlantes, l'œil fixe comme celui d'un oiseau de proie, le nez aquilin et long, la bouche fine et droite, suivait le peuple vers la maison de ville pour savoir ce qui allait se passer. Vêtu très simplement et sans armes, il s'appuyait au bras d'un officier. La porte du Hoogrstraat s'ouvrit et un homme s'avança pour parler avec la foule.

– Qui est cet homme ? demanda l'étranger à l'officier. Vous le connaissez ?

---

liasse paquet de papiers

– C'est le député Bowelt. Altesse, je ne te connais que de visage, répondit l'officier.

Après avoir écouté le peuple, le député rentra et les délibérations commencèrent. Parmi ces députés, beaucoup connaissaient cet étranger et l'officier craignait donc que l'un d'entre eux ne reconnaisse Son Altesse.

– Oui, tu as raison, dit l'étranger, ils m'accuseraient d'être l'instigateur de tout ceci. Restons ici pour connaître leur décision.

Une délégation roula par les escaliers et le chirurgien Tyckelaer qui était en tête agitait un papier en l'air.

– Ils ont l'ordre ! murmura l'officier.

– Me voilà fixé, dit tranquillement l'Altesse. Retournons au Buitenhof, je crois que nous allons voir un spectacle étrange.

La foule était immense sur la place et aux abords de la prison. Tilly contenait la foule quand il aperçut le papier qui flottait en l'air.

– Voici l'ordre ! crièrent cent voix insolentes.

– Ceux qui ont signé cet ordre, répondit Tilly avec stupeur, sont les véritables bourreaux de M. Corneille de Witt.

Il plia le papier et le mit dans sa poche et ordonna à ses cavaliers de laisser passer les égorgeurs*.

Quand les frères de Witt arrivèrent au bas de l'escalier, ils trouvèrent la belle Rosa, la fille du geôlier Gryphus.

– Oh ! M. Jean, dit-elle, quel malheur !

– Qu'y a-t-il donc mon enfant ? demanda de Witt.

– Il y a qu'ils sont allés chercher au Hoogstraat l'ordre qui doit éloigner les cavaliers du comte de Tilly.

– Oh ! fit Jean. En effet, ma fille, si les cavaliers s'en vont, la position est mauvaise pour nous.

égorgeurs assassins

– Si j'avais un conseil à vous donner Monsieur Jean, je ne sortirais pas par la grande rue, vous tomberiez dans les mains du peuple. J'ai déjà dit à votre cocher de vous attendre dans une rue déserte.

– Mon enfant, dit Corneille, je n'ai rien à te donner en échange du service, excepté la Bible. J'espère que ce présent te portera bonheur.

Pas un instant à perdre. Les deux frères rejoignirent leur voiture qui partit au galop. Juste à temps ! Le peuple était déjà en train d'enfoncer la porte. Rosa et Gryphus se cachèrent dans un cachot secret, la trappe retomba sur leur tête juste au moment où le peuple se ruait dans la prison.

Le jeune étranger observait la scène de loin, conscient que les frères de Witt étaient bel et bien perdus ayant lui-même donné l'ordre de fermer les portes de la ville. En effet, dès que leur carrosse laissa la prison et la mort derrière eux, le cocher négligea toute précaution et partit au galop. Il s'arrêta net devant la grille fermée. Jean de Witt sortit la tête par la portière : un brasseur* le reconnut et appela des renforts.

– Allons, dit tranquillement Corneille, il paraît bien que nous sommes perdus.

Tout le peuple du Buitenhof allait au-devant de la voiture. Le cocher s'arrêta et refusa de se sauver. Derrière le volet d'une fenêtre, le jeune étranger fixait ses yeux sombres sur le spectacle qui se préparait.

– Oh ! Mon Dieu ! Monseigneur, que va-t-il se passer ? murmura son officier.

– Regardez, ils tirent le grand pensionnaire de la voiture, ils le battent, ils le déchirent. Et voici Corneille qu'ils tirent à son tour du carrosse, il est déjà tout brisé, tout mutilé par la torture.

---

brasseur fabricant de bière

– Monseigneur, dit l'officier, ne pourrait-on pas sauver ce pauvre homme qui a élevé votre Altesse ?

Guillaume d'Orange, car c'était lui, plissa le front d'une façon sinistre et répondit :

– Colonel Van Deken, allez, je vous prie, trouver mes troupes, afin qu'elles prennent les armes à tout événement. Ne vous inquiétez pas pour moi.

Jean de Witt venait de rejoindre le perron d'une maison située en face de celle où était caché son élève. Roué de coups, il cherchait son frère qui venait d'être éventré. Jean poussa un gémissement lamentable et un homme lui creva les yeux avec un coup de pique avant de lui appliquer son mousquet sur la tempe et de lâcher la détente*. Quand les deux frères furent tous deux bien meurtris, bien déchirés, bien dépouillés, le peuple les traîna nus et sanglants à un gibet* improvisé, où les bourreaux amateurs les suspendirent par les pieds. Alors arrivèrent les plus lâches, qui n'ayant pas osé frapper la chair vivante, taillèrent en lambeaux la chair morte, puis s'en allèrent vendre par la ville des petits morceaux de Jean et Corneille à dix sous la pièce. Une fois tout terminé, Guillaume d'Orange fit rouvrir les portes de la ville et gagna la route de Leyde à cheval.

– Ah ! Je voudrais bien, murmura-t-il méchamment, voir la tête que fera Louis Soleil, quand il apprendra de quelle façon on vient de traiter ses bons amis. Oh ! Soleil, soleil, comme je me nomme Guillaume le Taciturne ; soleil, gare à tes rayons !

---

détente mécanisme d'une arme à feu   **gibet** potence, lieu où l'on pendait les condamnés

Compréhension

1 **Lis les affirmations et réponds par Vrai (V) ou Faux (F).**

	V	F
La scène se passe à La Haye, devant la prison du Buitenhof.	☐	☑
1 Jean et Corneille de Witt sont emprisonnés au Buitenhof.	☐	☑
2 Un certain Tyckelaer a été engagé par Corneille pour assassiner Guillaume d'Orange.	☐	☑
3 Jean de Witt a quitté sa charge de Grand Pensionnaire après l'arrestation de son frère.	☑	☐
4 Le capitaine Tilly a attendu l'ordre de faire passer la foule.	☑	☐
5 Corneille a confié des lettres à son filleul qui est au courant de tout.	☐	☑
6 Cornélius van Baerle doit brûler ces lettres pour éviter la mort aux frères de Witt.	☑	☐
7 La fille du geôlier a aidé les de Witt à s'échapper et a reçu une Bible.	☑	☐
8 Le colonnel van Deken a donné l'ordre de fermer les portes de la ville.	☐	☑

Vocabulaire

2 **Dumas décrit de façon détaillée le massacre des frères de Witt, un fait historique qui s'est réellement passé. À quels verbes correspondent les mots soulignés ?**

1 dénuder

2 blesser

3 tacher de sang

4 battre

5 déchirer

6 ouvrir

7 donner des coups

8 faire éclater

9 avoir un ton plaintif

10 pendre

11 tirer

12 écorcher

Roué de coups (_4_), Jean de Witt cherchait son frère qui venait d'être éventré (__). Jean poussa un gémissement (__) lamentable et mit une de ses mains sur ses yeux mais un homme lui creva les yeux (__) avec un coup de pique avant de lui appliquer son mousquet sur la tempe et de lâcher la détente (__). Quand les deux frères furent tous deux bien meurtris (__), bien déchirés (__), bien dépouillés (__), le peuple les traîna nus et sanglants (__) à un gibet improvisé, où les bourreaux amateurs les suspendirent par les pieds (__). Alors arrivèrent les plus lâches, qui n'ayant pas osé frapper (__) la chair vivante, taillèrent en lambeaux (__) la chair morte, puis s'en allèrent vendre par la ville des petits morceaux de Jean et Corneille à dix sous la pièce.

ACTIVITÉ DE PRÉ-LECTURE

3 **Cornélius van Baerle va conserver les lettres qui lui ont été confiées chez lui, dans une pièce où il conserve ses oignons de tulipes. Pour en connaître le nom lis les définitions, complète la grille et lis les lettres colorées.**

1 Personne qui pousse à faire quelque chose.
2 Jean de Witt était celui de Guillaume d'Orange.
3 Le surnom de Guillaume d'Orange.
4 Le style de maisons à La Haye.
5 Le Buitenhof en est une.
6 Condamner quelqu'un à quitter son pays.
7 Personne qui inflige des peines corporelles.

1 INSTIGATEUR
2 PRÉCEPTEUR
3 TACITURNÉ
4 GOTHIQUE
5 PRISON
6 BANNIR
7 BOURREAU

Chapitre 2

Cornélius Van Baerle
est victime d'un complot

▶ 3   Pendant qu'on massacrait ses maîtres, Craeke galopait sur les chaussées bordées d'arbres et naviguait sur les bateaux qui le conduisaient à Dordrecht, une ville riante, au bas de sa colline semée de moulins. De loin, il aperçut une maison blanche et rose, but de sa mission. C'est ici que vivait Cornélius Van Baerle, le filleul de Corneille. Son père lui avait laissé un bel héritage et lui avait recommandé de ne pas imiter son parrain qui s'était jeté dans la politique, la plus ingrate des carrières. Ce dernier lui avait d'ailleurs offert un emploi dans les services publics mais Cornélius s'était mis à étudier les végétaux et les insectes. Puis, il tomba amoureux des tulipes.

Début 1672, Corneille était venu à Dordrecht pour trois mois car sa famille était originaire de cette ville et avait rendu visite à son filleul qui, sans le savoir, avait un ennemi : son voisin Isaac Boxtel qui n'était pas aussi riche et qui cultivait des tulipes.

Envahi lui aussi par cette passion, Cornélius fit élever d'un étage un bâtiment de sa cour, dérangeant ainsi son voisin. Curieux de voir ce qui se passait de l'autre côté du mur, Boxtel mit une échelle contre le mur mitoyen* : Van Baerle était bien devenu tulipier. Il roula désespérément de son échelle, mort de jalousie en voyant son rival

---

mitoyen à la limite de son habitation

si bien équipé… lui qui était obligé de conserver ses oignons et ses caïeux* dans sa chambre et de coucher au grenier. En plus, c'était le filleul de Corneille de Witt, une célébrité ! Qu'arriverait-il si jamais Van Baerle trouvait une tulipe nouvelle ?

Cornélius réussit en effet à varier les couleurs, à modeler les formes, à multiplier les espèces. Il obtint de nombreux succès et fit parler de lui, si bien que Boxtel disparut à tout jamais de la liste des notables tulipiers de la Hollande. Il ne soupçonnait pas qu'à ses côtés, vivait un malheureux détrôné dont il était l'usurpateur. Aussi fallait-il voir Boxtel pendant ce temps.

Caché derrière un petit sycomore*, il suivait, l'œil gonflé et la bouche écumante, chaque pas, chaque geste de son voisin. Quand il surprenait un sourire sur ses lèvres, un éclair de bonheur dans ses yeux, il leur envoyait de furieuses menaces. Bientôt Boxtel ne se contenta plus de voir Van Baerle. Il voulut voir aussi les fleurs et acheta un télescope. Perché sur son échelle, les plates-bandes de Van Baerle l'aveuglaient par leur beauté !

Après la période d'admiration, il subissait la fièvre de l'envie, ce mal qui ronge la poitrine et le cœur en une myriade* de petits serpents. Il fut souvent tenté de sauter la nuit dans le jardin et de ravager* les plantes. Mais, tuer une tulipe est aux yeux d'un horticulteur un épouvantable crime !

Un soir, il attacha deux chats chacun par une patte de derrière avec une ficelle de dix pieds de long et les jeta au milieu de la plate-bande maîtresse*. Les animaux effarés* essayaient de se sauver chacun de leur côté, fauchant* avec leur corde les fleurs au milieu desquelles ils se débattaient. Le cœur de Boxtel s'emplissait de joie en entendant

---

caïeux petits bourgeons souterrains
sycomore espèce d'arbre
myriade un très grand nombre
ravager détruire

maîtresse ici, principale
effarées apeurés
fauchant coupant

les cris enragés des chats. Aux premiers rayons du soleil, Van Baerle apparut et vit ses tulipes lacérées, éventrées et la sève couler de leurs blessures. Mais au désespoir de Boxtel, les tulipes menacées par l'attentat étaient saines et sauves. Par précaution, Van Baerle ordonna à un de ses jardiniers de monter la garde la nuit.

Ce fut vers cette époque que la société tulipière de Harlem* proposa un prix pour la découverte de la grande tulipe noire et sans tache. Comme bien d'autres amateurs, Van Baerle releva le défi. Il commença lentement les semis* et les opérations nécessaires pour obtenir la couleur désirée. Dès l'année suivante, il obtint des produits d'un bistre* parfait, et Boxtel les aperçut dans sa plate-bande, lui qui n'avait encore trouvé que le brun clair. Encore une fois vaincu par la supériorité de son ennemi, il se dégoûta de sa culture et se voua* tout entier à l'observation. Il laissa mourir ses oignons et ses tulipes pour ne s'occuper que de ce qui se passait chez Van Baerle. Il le regardait trier ses graines, les arroser de substances destinées à les colorer. Un travail patient dont Boxtel se reconnaissait incapable.

C'est alors qu'arriva Corneille de Witt. Il visita toute la maison de son filleul, de l'atelier aux serres. Son arrivée éveilla l'attention de Boxtel qui grimpa à son laboratoire pour épier son voisin. Le soir, Corneille et Cornélius restèrent seuls dans le séchoir de tulipes, une pièce où seule la vieille nourrice pouvait entrer. Le séchoir était justement la pièce sur laquelle Boxtel braquait* incessamment son télescope.

Dans l'ombre d'un flambeau, il reconnut le visage pâle de de Witt, dont les longs cheveux noirs séparés au front tombaient sur les épaules. Il le vit tirer de sa poitrine un paquet blanc, soigneusement cacheté, et le remettre à Cornélius. Il s'agissait forcément de papiers

---

Harlem nom qui se réfère sans doute à la ville de Haarlem en Hollande.
semis ce qui a été semé

bistre couleur qui rappelle celle de la suie
se voua se consacra
braquait dirigeait

renfermant de la politique et donc de la plus grande importance. Mais pourquoi les remettait-il à son filleul ? Peut-être parce qu'il était déjà menacé par l'impopularité et que personne n'irait prendre ce dépôt chez un homme comme Cornélius, étranger à toute intrigue.

Cornélius avait reçu ce dépôt et l'avait mis au fond d'un tiroir avec ses oignons. Witt lui avait serré les mains et s'était acheminé vers la porte. L'envieux ne s'était pas trompé. C'était bien là la correspondance de Jean avec M. de Louvois. La seule recommandation qu'il lui avait faite, c'était de ne rendre ce dépôt qu'à lui ou sur un mot de lui.

Contrairement à Boxtel, Van Baerle n'y pensa plus concentré comme il l'était sur la tulipe noire.

« Je trouverai la grande tulipe noire, se disait-il, tout en détachant les caïeux dans son séchoir. Je toucherai les cent mille florins et je les distribuerai aux pauvres de Dordrecht. Quoique, les utiliser pour agrandir mon parterre ou faire un voyage dans l'Orient, patrie des belles fleurs… Voilà de jolis caïeux, comme ils sont bien faits, comme ils ont cet air mélancolique qui promet le noir ébène à ma tulipe ! On l'appellera la *Tulipa nigra Baerlensis*. Toute l'Europe tulipière tressaillira* quand elle apprendra que : LA GRANDE TULIPE NOIRE EST TROUVÉE ! Quand ma tulipe aura fleuri, si la tranquillité est revenue en Hollande, je donnerai cinquante mille florins aux pauvres, avec le reste je ferai des expériences. Oh ! Si j'arrivais à donner à la tulipe l'odeur de la rose ou de l'œillet ou même une odeur toute nouvelle…. »

Cornélius se délectait* dans sa contemplation et ses plus beaux rêves quand on sonna à la sonnette de son cabinet. Le serviteur fit entrer Craeke, le valet de confiance de M. Jean de Witt, qui entra de force dans le séchoir.

---

tressaillira tremblera   se délectait se réjouissait

– Au diable ! dit Cornélius, se précipitant sur ses caïeux, qu'y a-t-il donc Craeke ?

– Lisez ce papier monsieur, lui dit Craeke.

– On le lira après ton papier, répondit Cornélius en examinant ses caïeux.

Mais un domestique se précipita dans le séchoir en invitant son maître à s'enfuir.

– Monsieur, fuyez vite ! La maison est pleine de gardes des États. Ils sont précédés d'un magistrat.

– Prenez votre or, vos bijoux et sautez par la fenêtre, cria la nourrice.

– Vingt-cinq pieds !? Mais je tomberai sur mes tulipes ! s'indigna Cornélius. Jamais !

Les soldats entrèrent au même instant, précédés du magistrat.

– Je suis maître Van Spennen, dit celui-ci, livrez-nous les papiers séditieux* que vous cachez chez vous.

– Mais de quels papiers parlez-vous donc ? répondit Cornélius étonné.

– De ceux que Corneille de Witt a déposés chez vous en janvier dernier.

– Je n'ai aucun papier de ce genre, répondit l'accusé.

– Quelle est la pièce de votre maison que l'on nomme le séchoir ? Remettez-moi ces papiers.

– Nous y sommes maître Van Spennen. Mais ces papiers ne sont point à moi : ils m'ont été remis à titre de dépôt, et un dépôt est sacré.

– Docteur Cornélius, au nom des États je vous ordonne d'ouvrir ce tiroir et de me remettre ces papiers, dit le juge bien informé.

---

séditieux révoltés

Le tiroir ouvert, le magistrat découvrit d'abord une vingtaine d'oignons étiquetés avec soin, puis le paquet de papiers. Il rompit les cires*, déchira l'enveloppe, et jeta un regard avide sur les feuillets. C'était donc vrai ! Cornélius fut fait prisonnier d'État et on le conduisit à La Haye.

Le 19 août Boxtel avait dénoncé Cornélius que le lendemain maître Van Spennen avait arrêté, juste au moment où les orangistes faisaient rôtir les morceaux de cadavres de Corneille et Jean Witt. Ce jour-là, Isaac Boxtel était resté couché, feignant* d'être malade.

Il savait à quel point en étaient les recherches de son rival sur la grande tulipe noire et la fièvre le rongeait. Vu le grand trouble qui régnerait chez Cornélius après l'arrestation, il pensait en profiter pour s'introduire dans le séchoir et voler l'oignon qui lui permettrait de gagner le prix pour la tulipe noire.

La nuit vint. Il monta dans son sycomore. Tout était tranquille. Il prit une échelle, enjamba le mur et passa l'échelle de l'autre côté. Il savait où étaient enterrés les caïeux et il plongea les mains dans la terre molle, il ne trouva rien et crut s'être trompé. Il fouilla à droite, à gauche : rien. Il fouilla devant et derrière : rien. Il faillit devenir fou car il vit que la terre avait déjà été remuée.

En effet, pendant que Boxtel était dans son lit, Cornélius était descendu dans son jardin, avait déterré l'oignon et l'avait divisé en trois caïeux.

Ivre de colère, Boxtel regagna son échelle et rentra chez lui. Tout à coup, il lui vint un espoir : les caïeux étaient dans le séchoir ! Il se procura une échelle plus longue, empruntée dans une maison en

---

cires matière qui sert à cacheter une lettre   **feignant** faisant semblant de

réparation, et l'apporta à grand peine dans son jardin. Il monta à l'échelle et pénétra dans le séchoir. Il lut le registre des graines et des caïeux :

« Aujourd'hui 20 août 1672, j'ai déterré l'oignon de la grande tulipe noire que j'ai séparé en trois caïeux parfaits. »

– Ces caïeux ! hurla Boxtel en ravageant tout le séchoir, où a-t-il pu les cacher ? Oh misérable que je suis ! Il les a emportés à La Haye ! Ce n'est donc plus à Dordrecht que je puis vivre. À La Haye pour les caïeux ! À La Haye !

Et Boxtel, sans faire attention aux richesses qu'il abandonnait, se glissa le long de l'échelle, la remit à sa place et, pareil à un animal de proie, il rentra rugissant chez lui. ●

DELF – Compréhension orale

▶ 3 **1** **Écoute le cédé et choisis les bonnes solutions.**

Cornélius Van Baerle vit dans :
a ☐ un moulin.
b ☒ une maison blanche et rose.
c ☐ une maison blanche et rouge.

1 Isaac Boxtel est jaloux de son voisin car...
a ☐ il est tombé amoureux.
b ☐ à cause de lui il a disparu de la liste des tulipiers de la Hollande.
c ☐ on lui a offert un emploi dans les services publics.

2 Cornélius Van Baerle :
a ☐ ravage les plates-bandes de Cornélius.
b ☐ commet un crime et tue Cornélius.
c ☐ recourt à des chats pour détruire les tulipes.

3 Corneille de Witt va chez son filleul pour lui remettre :
a ☐ des papiers importants.
b ☐ des oignons de tulipe d'un bistre parfait.
c ☐ le prix de la société tulipière de Harlem.

4 Si Cornélius gagne le prix de la tulipe noire :
a ☐ il le partagera avec Boxtel.
b ☐ il le donnera aux pauvres de Dordrecht.
c ☐ il gardera une partie pour faire des expériences.

5 Craeke entre de force dans le séchoir car :
a ☐ la maison est pleine de gardes.
b ☐ la nourrice de Cornélius a sauté par la fenêtre.
c ☐ il a trouvé un oignon de tulipe.

6 Maître Van Spennen invite Cornélius à :
a ☐ lui remettre tous ses oignon étiquetés.
b ☐ à le suivre jusqu'à La Haye.
c ☐ à aller voir rôtir les morceaux de cadavres des de Witt.

7 Boxtel faillit devenir fou parce que Cornélius :
a ☐ a emporté ses caïeux à La Haye.
b ☐ a été arrêté et conduit à La Haye.
c ☐ a séparé l'oignon de la tulipe en trois caïeux.

Vocabulaire

2 As-tu lu attentivement ? Complète les phrases avec les mots de l'horticulture.

> caïeux • espèces • fleurs • jardiniers • œillet • oignons • parterre •
> plantes • plate-bande • rose • séchoir • semis • sève • végétaux

Cornélius vit à Dordrecht, la plus vieille ville de Hollande. Il renonce à un emploi dans les services publics pour se mettre à étudier les ___*végétaux*___ et les insectes. Tombé amoureux des tulipes, il fait construire un (**1**) _____ Cornélius réussit à multiplier les (**2**) _____ de tulipes. Boxtel essaie de ravager ses (**3**) _____ en liant des chats qui se jettent au milieu de sa (**4**) _____ principale. Les tulipes, comparées à des personnes, perdent leur (**5**) _____ comme si c'était du sang qui coule de leurs blessures. Cornélius charge ses (**6**) _____ de monter la garde et continue à chercher la tulipe noire en commençant les (**7**) _____, en triant les graines et arrose ses (**8**) _____ pendant que l'envieux laisse mourir ses (**9**) _____. Avec le prix, il espère agrandir son (**10**) _____ et faire des expériences pour donner à la tulipe l'odeur de la (**11**) _____ ou de l'(**12**) _____. La nuit après l'arrestation, Boxtel plonge en vain ses mains dans la terre : Cornélius a déterré l'oignon, l'a séparé en (**13**) _____ et l'a emporté à La Haye.

ACTIVITÉ DE PRÉ-LECTURE

3 Selon toi, que va-t-il se passer à La Haye ? Cornélius va-t-il être condamné comme les frères de Witt ? Boxtel va-t-il réussir à s'emparer des caïeux de la grande tulipe noire ?

Chapitre 3

Le testament
de Cornélius Van Baerle

Il était minuit environ quand le pauvre Van Baerle fut enfermé à la prison du Buitenhof et le geôlier Gryphus le conduisit dans la cellule qu'avait quittée le matin même Corneille de Witt.

– Filleul de Corneille de Witt, nous avons justement ici la chambre de famille ; nous allons vous la donner, dit Gryphus enchanté de sa plaisanterie.

Pour arriver à cette chambre, le désespéré fleuriste n'entendit que l'aboiement d'un chien et ne vit que le visage d'une jeune fille. Celle-ci, la lampe à la main, éclaira son charmant visage rose encadré de longs cheveux blonds à torsades* épaisses. L'arrivée de Cornélius l'avait réveillée.

Quand Rosa vit ce jeune homme pâle monter lentement l'escalier et quand elle entendit son père prononcer ces mots, une expression douloureuse apparut sur son visage. Cinq minutes après, Gryphus faisait entrer le prisonnier dans le cachot.

Cornélius, resté seul, se jeta sur le lit mais ne dormit point. Il ne cessa d'avoir l'œil fixé sur l'étroite fenêtre et quand le jour naquit, il s'en approcha, impatient de savoir si quelque chose vivait autour de lui. À l'extrémité de la place, il reconnut le gibet auquel pendaient deux informes lambeaux* qui n'étaient plus que des squelettes

torsades boucles   **lambeaux** morceaux

encore saignants. Sur une énorme pancarte, il put lire : « Ici pendent le grand scélérat nommé Jean de Witt et le petit coquin Corneille de Witt, son frère, deux ennemis du peuple, mais grands amis du roi de France. »

Cornélius poussa un cri d'horreur et l'émotion fut si grande qu'il se mit à frapper des pieds et des mains à la porte. Gryphus accourut furieux, les clefs à la main. Cornélius le saisit par le bras et le traîna vers la fenêtre en lui indiquant le gibet.

– MM. de Witt ont subi la justice du peuple, dit Gryphus en sortant de la chambre.

Cornélius comprit où il se trouvait et quel destin lui était réservé. Il se mit à prier pour l'âme de son parrain et du grand pensionnaire et se résigna à tous les maux que Dieu lui enverrait. Il tira de sa poitrine les trois caïeux de tulipe noire enveloppés dans un morceau de papier et les cacha derrière une cruche★. Inutile labeur★ de tant d'années ! Dans cette prison, pas un brin d'herbe, un arôme de terre, pas un rayon de soleil. Il ne sortit de son sombre désespoir que lorsque Gryphus lui apporta à manger. Celui-ci glissa sur le sol humide et se cassa un bras. Il essaya de se relever mais l'os plia et il s'évanouit en jetant un cri. La porte était ouverte mais Cornélius ne pensa même pas à profiter de cet accident pour s'enfuir.

Pendant qu'il aidait son geôlier à se relever, il entendit un pas précipité dans l'escalier. Rosa le remercia pour son geste.

– Je fais mon devoir de chrétien, dit Cornélius en levant les yeux sur la belle enfant.

---

cruche vase   **labeur** travail

Gryphus revint à lui et Cornélius envoya Rosa chercher des morceaux de bois et des bandes pour le soigner. Il immobilisa le bras mais Gryphus s'évanouit de nouveau.

– Monsieur, dit Rosa, le juge doit vous interroger demain. Rien de bon ne vous attend. Si, comme pour les frères de Witt, le peuple veut que vous soyez coupable, vous serez condamné. Je suis faible et seule, mon père s'est évanoui… rien de nous empêche de vous sauver. Sauvez-vous !

– Je refuse, répondit Cornélius, on vous accuserait.

– Qu'importe ? dit Rosa en rougissant. N'avez-vous pas compris que vous serez condamné à mort ?

À ce moment même Gryphus se réveilla et Cornélius répondit tout bas à la jeune fille :

– Je suis innocent, j'attendrai mes juges avec la tranquillité et le calme d'un innocent.

– Silence, dit Rosa. Si mon père soupçonne que nous avons bavardé, il m'empêchera pour toujours de revenir ici.

Le lendemain, les juges arrivèrent au Buitenhof pour interroger Cornélius au sujet de cette correspondance fatale des de Witt avec la France, une correspondance dont il ignorait tout. Il raconta comment ce paquet était arrivé chez lui et répéta plusieurs fois qu'il en ignorait le contenu jusqu'à l'arrivée de maître Van Spennen. Ce qui l'intéressait, lui, c'était les tulipes, pas la politique !

Le juge conclut par ce dilemme. Ou M. Van Baerle aime fort les tulipes, ou il aime fort la politique mais dans l'un et l'autre cas il a menti : les lettres et les caïeux le prouvent. Enfin, puisqu'il s'occupait à la fois de tulipes et de politique, l'accusé était donc d'une nature hybride. Bref, on prononça la peine de mort de cet amateur de tulipes qui avait participé aux détestables intrigues et aux abominables complots de MM. De Witt contre la nationalité hollandaise et à leurs secrètes relations avec l'ennemi français. On le conduirait donc à l'échafaud* le jour-même pour lui couper la tête.

Rosa entendit la sentence et, un mouchoir sur sa bouche, étouffa ses soupirs et ses sanglots. Quant à Cornélius, il écouta la sentence avec un visage plus étonné que triste.

– À quelle heure l'exécution, demanda Cornélius au greffier*.

– Pour midi, Monsieur.

– Il est presque onze heures. Je n'ai pas de temps à perdre.

Rosa s'avança alors vers Cornélius en appuyant ses deux mains sur sa poitrine brisée.

– Ne pleurez pas ma belle Rosa, dit le prisonnier. Vos larmes m'attendrissent plus que ma mort prochaine. Innocent, je mourrai avec la joie du martyr.

– Puis-je faire quelque chose pour vous ? lui demanda Rosa, ses grands yeux bleus noyés de larmes.

– Séchez vos beaux yeux et souriez. Jamais femme plus belle ne s'était offerte à moi. Ma belle amie, dit Cornélius en prenant les trois caïeux cachés, j'ai beaucoup aimé les fleurs. J'avais trouvé, je crois, le secret de la grande tulipe noire que l'on croit impossible et qui fait l'objet d'un prix de cent mille florins. Voilà les caïeux Rosa, je vous les donne. Je suis seul au monde, cent mille florins feront une belle dot* à votre beauté. En échange, je vous demande d'épouser un brave garçon, jeune, que vous aimerez, et qui vous aimera autant que moi j'aimais les fleurs.

échafaud là où l'on décapitait les condamnés
greffier fonctionnaire qui assiste le juge

dot bien qu'une femme apporte en se mariant

La pauvre fille étouffait en sanglots. Cornélius lui donna le petit paquet et lui prit la main.

– Voici comment vous procéderez, continua-t-il. Vous prendrez de la terre dans mon jardin de Dordrecht. Demandez à Butruysheim, mon jardinier. Vous y planterez dans une caisse ces trois caïeux qui fleuriront en mai prochain. Elle fleurira noire, j'en suis sûr. Alors vous la montrerai au président de la société Harlem et les florins seront à vous. Je ne désire plus rien, sinon que la tulipe s'appelle *Tulipa Nigra Baerlensis*.

Émue, Rosa lui donna un livre relié, qui portait les initiales C. W.

– Qu'est-ce que cela ? demanda le prisonnier.

– Hélas ! répondit Rosa, c'est la Bible de votre pauvre parrain. Il y a puisé la force de subir la torture. Je l'ai gardée comme une relique ; aujourd'hui je vous l'apportais, car il me semblait que ce livre avait en lui une force divine. Écrivez dessus ce que vous avez à écrire M. Cornélius. Même si je ne sais pas lire, ce que vous écrirez sera accompli.

Cornélius y mit noir sur blanc son testament en faisant de la jeune fille son unique héritière. Rosa ne put lui promettre d'épouser un homme qu'elle aimerait ayant décidé de ne jamais se marier et faillit s'évanouir de douleur. Cornélius allait la prendre dans ses bras quand des bruits retentirent dans l'escalier. Rosa cacha le trésor dans son sein et des gardes entrèrent pour prélever le condamné. Cornélius les reçu en amis et jeta un coup d'œil par la petite fenêtre : l'échafaud l'attendait. Il suivit les gardes armés d'épées et de hallebardes*.

Des curieux, mal désaltérés par le sang qu'ils avaient déjà vu trois jours avant, attendaient la nouvelle victime sur la place. Mais

---

hallebardes armes en fer longues et pointues

Cornélius ne les entendait même pas, il ne pensait qu'aux belles tulipes qu'il verrait du ciel.

Il monta orgueilleux à l'échafaud, s'agenouilla, fit sa prière, posa la tête sur le billot* et ses yeux se fermèrent malgré lui. Le bourreau leva son épée et Van Baerle dit adieu à la grande tulipe noire. Trois fois il sentit le vent froid de l'épée passer sur son col frissonnant*.

Tout à coup, on le releva, il rouvrit les yeux. Quelqu'un lisait un grand parchemin près de lui. Guillaume d'Orange l'avait pris en pitié et lui avait fait grâce de la vie.

Cornélius espéra bien que la grâce serait complète, et qu'on allait lui rendre la liberté et ses plates-bandes de Dordrecht. Mais il se trompait.

Il y avait un post-scriptum à la lettre. Guillaume, stathouder de Hollande, condamnait Cornélius Van Baerle à une prison perpétuelle. Il était trop peu coupable pour la mort, mais il était trop coupable pour la liberté.

« Bah ! pensa-t-il, tout n'est pas perdu. Dans la réclusion à perpétuité il y a du bon, il y a Rosa et mes caïeux de la tulipe noire. »

Malheureusement pour lui, Son Altesse l'envoyait faire sa prison dans la forteresse de Loevestein, bien près de Dordrecht : un pays humide et un terrain mauvais pour les tulipes !

Tandis que Cornélius réfléchissait de la sorte, un carrosse s'était approché de l'échafaud. Ce carrosse était pour le prisonnier. On l'invita à y monter : il obéit.

Son dernier regard fut pour le Buitenhof. Il espérait voir le visage consolé de Rosa, mais le carrosse était attelé de bons chevaux qui

---

billot bloc de bois   **frissonnant** tremblant

emportèrent bientôt Van Baerle loin des vociférations du peuple contre le stathouder trop magnanime.

Parmi tous ces spectateurs, un certain bourgeois avait pris place juste devant l'échafaud. Beaucoup s'étaient montrés avides de voir couler le sang de Cornélius, mais personne avec tant d'acharnement*. Il avait même passé la nuit au seuil de la prison pour être au premier rang.

Quand le bourreau avait amené son condamné sur l'échafaud, il lui avait fait un signe auquel celui-ci avait répondu. Qui était donc ce bourgeois qui s'entendait si bien avec le bourreau ? Et que voulait dire cet échange de gestes ?

acharnement avec hostilité

Compréhension

1 **Réponds aux questions de façon articulée en recueillant tous les éléments nécessaires dans le texte.**

Dans quelle cellule Cornélius a-t-il été enfermé ?
Cornélius a été enfermé dans la même cellule que Corneille de Witt.

1 Pourquoi Cornélius pousse-t-il un cri d'horreur ?

2 Cornélius va-t-il réussir à planter ses caïeux ? Pourquoi ?

3 Quels sont les éléments du texte qui font comprendre que Cornélius est un bon chrétien ?

4 Quels sont les éléments qui nous font comprendre qu'il y a de la tendresse entre Rosa et Cornélius ?

5 Comment Cornélius va-t-il soigner Gryphus après sa chute ?

6 Pourquoi Cornélius est-il condamné à mort ?

7 Quel rôle joue la Bible de Corneille de Witt depuis le début du roman ?

8 Que devra faire Rosa des caïeux que Cornélius lui a confiés ?

Grammaire

2 Remplace les parties soulignées par des adverbes.

Gryphus accourut <u>furieux</u> : _Gryphus accourut furieusement_

1 Rosa monte l'escalier <u>d'un pas précipité</u> :

_____

2 Cornélius agit <u>en chrétien</u> : _____

3 Cornélius attend ses juge <u>avec tranquillité</u> :

_____

4 Les gardes montent l'escalier <u>en faisant du bruit</u> :

_____

5 Cornélius monte à l'échafaud <u>avec orgueil</u> :

_____

6 Le stathouder agit <u>avec magnanimité</u> :

_____

ACTIVITÉ DE PRÉ-LECTURE

Vocabulaire

3 Cherche 25 adjectifs dans la grille et associe les lettres restantes pour savoir quel métier exerçait Cornélius avant de devenir tulipier.

C'était _ _ _ _ _ _ _ _ _ de Dortrecht.

M	A	U	V	A	I	S	B	R	U	N
S	B	O	N	L	A	R	G	E	U	M
O	N	L	M	O	U	I	L	L	E	A
M	C	O	Q	U	E	T	I	M	H	G
B	H	N	N	R	I	A	N	T	U	N
R	A	G	O	D	R	O	S	E	M	A
E	R	R	I	C	H	E	O	E	I	N
N	M	O	R	T	P	A	L	E	D	I
T	A	P	A	U	V	R	E	D	E	M
I	N	E	E	T	R	A	N	G	E	E
E	T	D	E	S	E	R	T	C	I	N
R	R	O	U	G	E	B	L	A	N	C

Chapitre 4

Ah l'amour !

▶ 4   Ce bourgeois était Boxtel. Il était venu à La Haye pour essayer de
récupérer les trois caïeux de la tulipe noire. Il avait essayé d'approcher
Gryphus mais ce dernier lui avait lancé son chien à ses trousses*. Il
voulait offrir une coiffe d'or pur à Rosa en échange des trois caïeux
mais celle-ci l'avait envoyé chez le bourreau auquel Boxtel était
allé acheter les vêtements du futur mort dans l'espoir d'y trouver
les caïeux. Mais Boxtel ne pouvait certes pas savoir que la grâce de
Guillaume arriverait ni que l'amour était entré en jeu.

Quand Boxtel vit qu'on relevait le condamné et entendit la lecture
publique de la grâce accordée par le stathouder, ce ne fut plus un
homme. La rage du tigre, de la hyène et du serpent éclata dans ses
yeux, dans son cri, dans son geste.

Donc Cornélius irait à Loevenstein où il trouverait peut-être un
jardin où faire fleurir la tulipe noire. Il courut derrière le carrosse qui
emportait Cornélius et ses caïeux mais il trébucha* sur un pavé et
tout le peuple de La Haye passa sur son dos. Ses habits déchirés et
tout meurtri* il se releva et s'arracha les cheveux de rage.

Cornélius arriva à la prison de Loevestein où on lui donna la
chambre de M. Grotius, un célèbre prisonnier qui s'était enfui dans
un coffre à livres. Une chambre de laquelle la vue était charmante

---

à ses trousses derrière lui
trébucha tomba

meurtri blessé

40

mais cela ne consola pas Cornélius qui venait de perdre une fleur et une femme. Heureusement qu'il se trompait !

Un matin, pendant qu'il admirait le paysage et les moulins de Dordrecht, il vit des pigeons accourir en foule et se percher sur les toits.

« Ces pigeons, se dit-il, viennent de Dordrecht. Si j'attachais un mot* à l'aile de ces pigeons, peut-être que je réussirais à faire passer des nouvelles. »

On est patient quand on a 28 ans et qu'on est condamné à prison perpétuelle. Il se fit un piège à pigeons et au bout d'un mois de tentatives, il prit une femelle. Il mit deux autres mois à prendre le mâle. Vers le début de 1673, il avait obtenu des œufs et lâcha donc la femelle avec un billet sous son aile pendant que le mâle couvait. Elle le garda quinze jours mais le seizième jour, elle revint sans.

Cornélius adressait une lettre à sa nourrice et à l'intérieur il y avait un petit billet pour Rosa. Voilà comment cette lettre arriva. En quittant Dordrecht pour La Haye, Boxtel avait abandonné sa maison, son télescope et ses pigeons. Comme son domestique, qu'on avait laissé sans gages*, s'était mis à les manger, ceux-ci s'étaient réfugiés sur le toit de Cornélius. Quand le domestique de Boxtel les réclama, la nourrice les lui acheta. Cornélius avait justement pris un de ces pigeons-là. La nourrice reçut donc la lettre et vers les premiers jours de février, Cornélius entendit dans l'escalier une voix qui le fit tressaillir.

C'était la voix harmonieuse de Rosa. Il s'attendait chaque jour à recevoir des nouvelles de son amour et de ses caïeux et le pigeon lui avait, en échange de la lettre, rapporté l'espoir. Il se leva et prêta l'oreille en inclinant le corps vers la porte. Oui, c'était bien elle !

---

mot ici, message   **gages** salaire

Le guichet* de la porte de sa cellule s'ouvrit et Rosa, brillante de joie :

– Oh ! Monsieur ! Monsieur, me voici, dit-elle.

– Oh ! Rosa, Rosa ! cria Cornélius rempli de joie.

– Silence ! Parlons à voix basse, mon père me suit. Voilà, le stathouder a une maison de campagne où ma tante s'occupe des animaux. Quand votre nourrice m'a lu votre billet, je suis allée chez ma tante et quand le stathouder est venu, je lui ai demandé de transférer mon père ici.

– Ô Rosa ! Ma belle Rosa ! Vous m'aimez donc un peu ? demanda Cornélius.

– Un peu... dit-elle. Je viendrai le plus souvent que je pourrai, répondit la jeune fille.

Cornélius lui tendit passionnément les mains, mais leurs doigts seuls purent se toucher à travers le grillage.

– Voilà mon père ! dit la jeune fille.

Et Rosa quitta vivement la porte et s'élança vers le vieux Gryphus qui apparaissait en haut de l'escalier. Il était suivi du chien auquel il faisait faire sa ronde.

– Mon père, dit Rosa, voilà la célèbre chambre d'où M. Grotius s'est évadé.

– Ce coquin de Grotius, c'est donc de cette chambre qu'il s'est évadé. Eh bien, je réponds que personne ne s'en évadera après lui.

En ouvrant la porte, il commença dans l'obscurité son discours au prisonnier. Le chien alla flairer* les mollets de Cornélius.

– Monsieur, dit Gryphus en levant sa lanterne, je suis votre nouveau geôlier. Je ne suis pas méchant, mais je suis inflexible pour ce qui est de la discipline.

---

guichet petite fenêtre grillagée   **flairer** sentir

– Mais je vous connais mon cher M. Gryphus, dit le prisonnier en entrant dans le cercle de lumière de la lanterne.

– Tiens, tiens, c'est vous M. Van Baerle, dit Gryphus. Comme on se retrouve ! Vous êtes capable de conspirer de nouveau mais sachez que ça ne vous sera pas facile, fit Gryphus en fronçant* le sourcil. Alors, d'abord pas de livres, pas de papiers, continua Gryphus. C'est avec les livres que M. Grotius s'est sauvé. Son Altesse a eu tort de ne pas vous couper la tête, je vais vous rendre la vie très dure.

– Merci de la promesse, maître Gryphus.

Gryphus alla vers la fenêtre et les pigeons, effarouchés* par la vue et la voix de cet inconnu, sortirent de leur nid et disparurent dans le brouillard.

– Oh ! Qu'est-ce que c'est que cela ? demanda le geôlier.

– Mes pigeons, répondit Cornélius.

– Ah ! Un prisonnier ne peut rien posséder et demain, ces oiseaux bouilliront dans ma marmite. Je leur tordrai le cou.

Gryphus se pencha dehors pour examiner le nid. Ce qui donna le temps à Van Baerle de courir à la porte et de serrer la main de Rosa qui lui dit :

– À neuf heures ce soir.

Gryphus, trop occupé, ne vit ni n'entendit rien. Comme il avait fermé la fenêtre, il prit sa fille par le bras, sortit et ferma la porte.

Cornélius courut à la fenêtre pour démolir le nid des pigeons. Il aimait mieux les chasser que de les exposer à la mort car ils lui avaient donné la joie de revoir Rosa.

---

fronçant plissant   effarouchés apeurés

Cette visite du geôlier, ses menaces brutales et la sombre perspective de sa surveillance ne purent le distraire des douces pensées et surtout du doux espoir que la présence de Rosa venait de ressusciter dans son cœur.

Neuf heures sonnèrent et Rosa se présenta devant le guichet de sa porte. Cornélius approcha son visage du sien mais Rosa s'en éloigna. Elle avait le paquet contenant les caïeux et le cœur de Cornélius bondit.

– Quand votre nourrice m'a lu votre billet, dit-elle, nous avons pleuré ensemble et je suis partie pour Leyde.

– Comment, chère Rosa, reprit Cornélius, vous avez donc pensé à me rejoindre dès que vous avez reçu ma lettre ?

Pour la seconde fois Cornélius précipita son front et ses lèvres sur le grillage mais elle recula comme la première fois.

– J'ai bien souvent regretté de ne pas savoir lire, affirma-t-elle.

– À quelle occasion ? demanda Cornélius.

– Au Buitenhof je recevais des lettres des étudiants, des officiers et même des marchands. Je me les faisais lire par des amies. Mais depuis quelque temps je les brûle, ce ne sont que des sottises.

– Depuis quelque temps vous les brûlez ? demanda Cornélius avec un regard troublé par l'amour et la joie.

Rosa baissa les yeux en rougissant et elle ne vit pas s'approcher les lèvres de Cornélius qui ne rencontrèrent malheureusement que le grillage, mais qui envoyèrent aux lèvres de la jeune fille le souffle ardent du plus tendre baiser. À cette flamme Rosa devint aussi pâle que le jour de l'exécution. Elle ferma ses beaux yeux et s'enfuit le cœur palpitant en essayant de comprimer avec sa main les palpitations de son cœur.

Cornélius resta seul en respirant encore le doux parfum des cheveux de Rosa qui s'était enfuie en oubliant de lui rendre les trois caïeux de la tulipe noire.

Gryphus entrait dans sa chambre trois fois par jour pour le surprendre en faute et chaque soir Rosa venait bavarder avec lui en cachette. Elle lui rendit les trois caïeux toujours enveloppés dans le même papier mais Cornélius repoussa sa main blanche du bout des doigts.

– Rosa, apportez-moi un peu de la terre du jardin de la forteresse. Nous ferons trois parts de nos trois caïeux. Vous en planterez un quand je vous le dirai puis vous m'en donnerez un autre que j'essaierai d'élever dans ma chambre. Vous garderez le troisième en réserve. La nuit vous contrôlerez s'il y a des chats ou des rats et l'animal le plus à craindre : l'homme !

– Je vous promets que personne n'entrera dans le jardin, répondit Rosa.

À partir de ce moment la vie devint douce et remplie pour le prisonnier. Au début du mois d'avril, il déposa son caïeu dans le fond d'une vieille cruche.

La jeune fille s'était préparé un carré de terre et elle n'attendait que le signal de Cornélius pour planter son caïeu.

Un soir Rosa demanda à Cornélius de lui enseigner à lire et à écrire, au cas où Gryphus voudrait un jour quitter Loevestein et les séparer.

– Quand commencerons-nous ? demanda Rosa.

– Tout de suite.

– Non, demain.

– Pourquoi demain ?

– Parce qu'aujourd'hui notre heure est écoulée. Il faut que je vous quitte.

– Déjà ! Mais quel livre lirons-nous ?

– Oh ! dit Rosa, j'ai un livre qui, je l'espère, nous portera bonheur.

– À demain donc ?

– À demain.

Le lendemain, Rosa revint avec la Bible de Corneille de Witt. ■

Compréhension

1 Reconstitue les phrases.

1 [c] Guillaume gracie Cornélius et le fait transférer à la prison de Loevestein et cela...

2 ☐ Cornélius utilise une femelle de pigeon pour envoyer un message à sa nourrice et cela...

3 ☐ Gryphus, mécontent de la grâce, promet à Cornélius de lui rendre la vie dure...

4 ☐ Cornélius est obligé de détruire le nid des pigeons et de les chasser pour ne pas...

5 ☐ Rosa se présente à neuf heures du soir devant le guichet de la porte pour...

6 ☐ Autrefois elle faisait lire les lettres qu'elle recevait par des amies mais depuis qu'...

7 ☐ Cornélius demande à Rosa de lui apporter un peu de terre pour y planter...

8 ☐ Au cas où Gryphus voudrait un jour quitter Loevestein et la séparer de Cornélius,...

a les exposer à la mort vu que Gryphus veut leur tordre le cou et les faire bouillir dans sa marmite.

b l'un des trois caïeux et il invite Rosa à en planter un dans le jardin et de conserver l'autre.

c fait enrager Boxtel qui voulait acheter ses vêtements et s'emparer ainsi des caïeux.

d Rosa demande à ce dernier de lui enseigner à lire et à écrire avec un livre qui leur portera bonheur.

e lui apporter les caïeux et lui avouer qu'elle ne sait pas lire, ce qu'elle regrette beaucoup.

f mais rien ne peut distraire le prisonnier des douces pensées suscitées par la présence de Rosa.

g elle connaît Cornélius elle les brûle car ce ne sont que des sottises.

h permet à Rosa de le rejoindre à Loevestein où elle fait transférer son père grâce à ses connaissances.

Vocabulaire

2 **Le langage amoureux. Lis et écris le numéro correspondant à la signification de chaque expression.**

1 avoir un regard énamouré

2 se marier

3 sentimental

4 être amoureux

5 souffrir

6 hésiter

7 tomber amoureux au premier coup d'œil

8 généreux

9 être déprimé

10 un penchant

11 un dilemme

12 amour passager

13 donner un peu d'amour à chacun

14 battre très fort pour une émotion

15 heureux

Cornélius *a le béguin* (_4_) pour Rosa, mais est-ce vraiment de l'amour ou juste *une amourette* (___) ? Au Buitenhof il a eu un *coup de foudre* (___). Quant à Rosa, elle est *au septième ciel* (___) ! Elle a tout de suite eu *un faible* (___) pour Cornélius et peut-être n'attend-elle que de *se mettre la corde au cou* (___). Toutefois Cornélius se retrouve face à *un choix cornélien* (___) : Rosa ou la Tulipe noire ? *Entre les deux son cœur balance* (___). Depuis qu'il a retrouvé Rosa il n'a plus *le moral à zéro* (___), au contraire ! Quand elle s'approche du guichet de la porte, *son cœur bat la chamade* (___) et *il roule des yeux de merlan frit* (___). Rosa avoue avoir reçu des lettres d'admirateurs auparavant mais maintenant elle n'a plus *un cœur d'artichaut* (___) et n'a d'yeux que pour Cornélius. Elle a eu *le cœur gros* (___) quand il a été transféré à Loevestein mais dans son cas, l'expression *loin des yeux loin du cœur* a perdu tout son sens. Cornélius a *le cœur sur la main* (___) et a remis ses caïeux à sa belle, il est vraiment *fleur bleue* (___) !

DELF – Production orale

3 **Dans le prochain chapitre Rosa va avoir un prétendant. Comment l'imagines-tu ? À ton avis que fait-il dans la vie ? Penses-tu connaître son identité ?**

Chapitre 5

Le prétendant de Rosa

Le lendemain, les deux amants commencèrent leurs leçons à travers le guichet de la porte. Cornélius utilisait un brin de paille pour indiquer les lettres à travers le grillage et Rosa était très attentive. Un soir, elle arriva plus tard que de coutume*.

Gryphus était loin de partager la bonne volonté de sa fille pour le filleul de Corneille de Witt. Il n'avait que cinq prisonniers à Loevenstein ; sa tâche* de gardien n'était donc pas lourde à remplir. Pour lui, Cornélius était sans aucun doute un criminel de premier ordre à surveiller avec attention. On pourrait même dire qu'il s'acharnait sur lui !

Le geôlier avait renoué avec un homme qui était venu le voir à la Haye pour voir la prison et qui aimait boire et raconter des histoires. Cela faisait déjà quinze jours qu'il était à Loevestein, ce qui inquiéta Cornélius.

– C'est peut-être un espion dit-il.

– Je ne crois pas, dit Rosa. Peut-être est-il ici pour moi.

– Ah ! C'est vrai, fit Cornélius en soupirant, vous n'aurez peut-être pas toujours des prétendants, Rosa, cet homme peut devenir votre mari.

– Je ne dis pas non. Il était déjà venu plusieurs fois au Buitenhof, quand vous y étiez enfermé. Il prenait prétexte qu'il voulait vous voir. Hier je l'ai entendu dire à mon père qu'il vous connaît.

---

de coutume d'habitude   **tâche** devoir

– Mais Rosa, je n'ai pas d'amis à part ma nourrice.

– Maintenant que j'y pense, hier soir j'ai vu une ombre pendant que je remuais la terre dans le jardin. C'est donc bien moi qu'il épie* !

– Oh ! Oui, c'est un amoureux, dit Cornélius. Est-il jeune et beau ?

– Il est hideux*, il a le corps voûté, il approche de cinquante ans. Il s'appelle Jacob Gisels.

– Je ne le connais pas, en tous cas il vous aime. Et vous Rosa ?

– Oh non ! fit Rosa. Comment va votre tulipe ?

– Très bien et bientôt vous pourrez planter votre caïeu mais ne confiez ce secret à personne !

– Il est encore dans le papier où vous l'avez mis M. Cornélius. Il est au fond de mon armoire, sous mes dentelles. Mais je dois partir, mon père pourrait s'impatienter et l'amoureux pourrait se douter qu'il a un rival.

Au même moment elle entendit un bruit dans l'escalier et une porte qui se fermait. Cornélius demeura* très inquiet.

Un matin, il était absorbé dans l'observation de son caïeu et n'entendit pas Gryphus arriver. Le geôlier enfonça sa main dans la cruche et commença à creuser avec ses doigts crochus.

Désespéré, Cornélius arracha la cruche de ses mains mais le geôlier, convaincu qu'il venait de découvrir une conspiration contre le prince d'Orange, se précipita sur lui avec un bâton.

Gryphus tira le caïeu tout noir de la terre et le lança. Le caïeu s'écrasa par terre et Gryphus le mit en bouillie* sous son large soulier.

épie surveille
hideux laid

demeura resta
bouillie mélange pâteux

Van Baerle poussa un cri de désespoir et il eut envie d'assommer ce méchant homme mais un cri plein de larmes et d'angoisse l'arrêta. Rosa venait de se mettre entre son père et son ami. Cornélius abandonna la cruche qui se brisa en mille pièces.

– Mon père, cria Rosa, vous venez de commettre un crime !

– Malheureux ! Malheureux ! cria Cornélius désespéré.

– Mais ce n'est qu'une tulipe, ajouta Gryphus. Il y avait sûrement de la sorcellerie dans ce caïeu, un moyen pour correspondre avec des ennemis de Son Altesse. Il a eu tort de ne pas vous couper le cou ! Je vous avais prévenu, mon ami, que je vous rendrais la vie dure.

Rosa s'approcha de Cornélius pour lui dire à voix basse que le lendemain, ils planteraient l'autre caïeu. C'est alors qu'ils entendirent M. Jacob appeler Gryphus dans l'escalier. Le geôlier sortit en emmenant sa fille et en laissant Cornélius en proie à la douleur. Le pauvre serait tombé malade si le soir même Rosa ne lui avait apporté une bonne nouvelle.

– Mon père se repent et il ne s'oppose plus à ce que vous cultiviez des fleurs, dit-elle. Si vous saviez comme son ami le gronde ! J'ai cru qu'il allait mettre le feu à la forteresse et étrangler* mon père.

– Oh ! Digne homme que ce Jacob, murmura Cornélius. C'est un honnête homme.

– Il a dit à mon père : « Ah ! Vous êtes fou d'écraser un caïeu si précieux ! » reprit Rosa. Puis il a ajouté : « Il y a toujours trois caïeux, nous trouverons les autres »

– Il a dit que j'avais trois caïeux ! cria Cornélius.

– Vous comprenez, cela m'a frappée* ! continua Rosa. Il a proposé à mon père de fouiller votre chambre.

étrangler tordre le cou   **frappée** étonnée

– Rosa, fit Cornélius, ce n'est donc pas de vous qu'il est amoureux mais de la tulipe. Pour vous en assurer, demain faites semblant d'enterrer le caïeu dans le jardin et vous verrez bien ce qu'il fera. Quant au troisième, gardez-le dans votre armoire. Si vous êtes épiée, sacrifiez-moi et ne venez plus !

– Hélas ! dit Rosa en pleurant, je vois que vous aimez tant les tulipes qu'il n'y a plus de place pour moi dans votre cœur.

Rosa s'enfuit et Cornélius passa l'une des plus mauvaises nuits de sa vie. À présent il n'aurait plus de nouvelles ni de Rosa, ni de ses tulipes. Vers trois heures du matin il s'endormit et, dans ses rêves, la tulipe noire céda la première place à la jeune fille.

Mais la pauvre Rosa, enfermée dans sa chambre, ignorait tout de ces rêves et les paroles de Cornélius étaient tombées sur son âme comme une goutte de poison.

Cornélius était riche avant d'être emprisonné et il la trouvait peut-être bonne pour une distraction mais il préférait engager son cœur à une tulipe. Rosa comprenait bien cette différence et elle décida de ne plus se présenter au guichet.

Comme elle ne voulait pas désespérer cet homme, elle continua seule à apprendre à lire et à écrire dans l'espoir de lui donner des nouvelles. Quant à lui, plus amoureux que jamais, il se disait :

– Oh ! Elle ne viendra pas. Je l'ai bien mérité !

Son geôlier lui rendait visite chaque jour pour le surveiller. On était juste au mois d'avril, le moment de planter les tulipes et il avait dit à Rosa qu'il lui indiquerait le jour où mettre le caïeu en terre. Si Rosa ne plantait pas le caïeu…

Cornélius arrêta de boire et de manger. L'ayant su, Rosa lui écrivit un mot qu'elle glissa sous sa porte : « Soyez tranquille, votre tulipe se porte bien. »

Cornélius avait du papier et un crayon que Rosa lui avait apportés. Elle attendait une réponse. « Ce n'est pas la tulipe qui me rend malade ; c'est le chagrin que j'éprouve de ne pas vous voir. »

Finalement, le huitième jour, Rosa réapparut.

– Je viens vous parler de votre tulipe qui vous inquiète tant, dit-elle.

– Ah ! murmura Cornélius, vous seule me manquiez.

– Vous aviez raison, Jacob ne venait pas pour moi mais pour la tulipe. Quand je suis allée dans le jardin, il m'a suivie. J'ai fait semblant de planter le caïeu et quand je suis partie je l'ai vu sortir de sa cachette et enfoncer ses mains dans la terre.

– Oh ! Le misérable ! s'exclama Cornélius. Mais où est le caïeu Rosa ?

– Il est dans ma chambre, dans un bon pot en faïence. Votre tulipe, c'est ma fille. Si je peux, demain je viendrai vous donner des nouvelles. J'ai mille choses à faire.

– Tandis que moi je n'en ai qu'une, dit Cornélius, vous aimer Rosa.

– Non, vous préférez les fleurs à moi.

– Rosa, mon amour, brisez le caïeu de la tulipe noire ; aimez-moi, car je sens bien que je n'aime que vous.

– Dans votre testament vous m'ordonnez d'aimer et d'épouser un jeune homme de vingt-six à vingt-huit ans... Comme je passe ma journée à soigner votre tulipe, laissez-moi le soir pour le trouver... je

reviendrai, à condition que pendant trois jours il ne soit pas question de la tulipe noire.

Et elle approcha sa joue fraîche que Cornélius put toucher de ses lèvres. Rosa poussa un petit cri plein d'amour et disparut.

Le lendemain, quand Gryphus apporta à manger au prisonnier, il fut bien surpris de le trouver chantant un petit air d'opéra. Il avait très faim.

– Ah ! Vous avez faim, dit le geôlier. Donc la conspiration marche, on verra cela à midi.

Midi sonna et il arriva avec des soldats qui entrèrent dans la chambre. On chercha dans les poches de Cornélius, dans ses draps, dans le matelas... on ne trouva rien à part le papier et le crayon que Rosa lui avait apportés et que Gryphus emporta.

Rosa vint à neuf heures et ils parlèrent de tout sauf de la tulipe noire... puis à dix heures, comme d'habitude, ils se quittèrent. Cornélius était heureux et trouvait Rosa bonne, gracieuse et charmante. Il rêva d'elle : elle lui apportait une magnifique tulipe noire éclose dans un vase de Chine. Il se réveilla tout frissonnant de joie en murmurant :

– Rosa, Rosa, je t'aime.

Elle revint le lendemain à la même heure et Cornélius supporta héroïquement sa pénitence en ne parlant pas de la tulipe. Rosa le laissait tirer ses doigts à travers le guichet ; Rosa le laissait baiser ses cheveux à travers le grillage.

Pauvre enfant ! Toutes ces attentions étaient bien plus dangereuses pour elle que de parler de la tulipe. Elle le comprit en rentrant chez elle, le cœur bondissant, les joues ardentes, les lèvres sèches et les yeux humides.

Compréhension

1 **Complète les phrases de façon articulée en recueillant tous les éléments nécessaires dans le texte.**

Rosa n'a aucun doute, Jacob Gisels est à Lovestein pour elle car...

il est déjà venu plusieurs fois à La Haye et il l'a épiée pendant qu'elle remuait la terre dans le jardin.

1 Rosa accuse son père d'avoir commis un crime car...

_____

_____

_____

2 Rosa et Cornélius commencent à suspecter Boxtel car...

_____

_____

_____

3 Rosa s'enfuit en pleurant après avoir entendu Cornélius dire qu'elle ne doit plus venir car...

_____

_____

_____

4 Rosa revient après sept jours d'absence au guichet pour...

_____

_____

_____

5 Gryphus fait entrer les soldats dans la chambre de Cornélius parce que...

_____

_____

_____

Grammaire

2 **Complète les phrases avec une préposition.**

> du • de/d' • par • ~~en~~ • à

Cornélius a été condamné à mort mais il est resté __en__ vie.

1 Boxtel était un tulipier estimé _____ tous avant l'arrivée de Cornélius.

2 La chambre de Cornélius a été fouillée _____ les soldats.

3 Êtes-vous déjà allés _____ Hollande ? En particulier _____ La Haye ?

4 Rosa a bien fait _____ prévenir Cornélius que Boxtel est un imposteur.

5 Gryphus ne sait pas _____ où viennent le crayon et le papier.

6 Boxtel cherche _____ convaincre Gryphus que Cornélius est un conspirateur.

7 Cornélius se promène _____ long _____ large dans sa chambre.

8 Rosa se fait _____ souci pour son amoureux.

3 **Imparfait ou passé composé ? Conjugue les verbes au temps approprié.**

Gisels (*venir*) ___venait___ au Buitenhof et c'est là qu'il (*connaître*) ___a connu___ le geôlier.

1 Rosa (*entrer*) _____ dans la chambre de Cornélius quand elle (*voir*) _____ son père lancer le caïeu, sans parler de Cornélius qui (*tomber*) _____ malade de désespoir.

2 Comme M. Jacob (*savoir*) _____ qu'il (*exister*) _____ trois caïeux et vu qu'il (*suivre*) _____ Rosa, Cornélius (*penser*) _____ qu'il (*valoir*) _____ mieux en garder un dans l'armoire.

3 Cette nuit, M. Jacob (*suivre*) _____ Rosa dans le jardin et l'(*observer*) _____ pendant qu'elle (*planter*) _____ le caïeu.

4 Rosa et Cornelius (*parler*) _____ à voix basse quand ils (*entendre*) _____ M. Jacob qui (*appeler*) _____ Gryphus dans l'escalier.

5 Cornélius (*déclarer*) _____ à Rosa qu'il n'(*aimer*)
_____ qu'elle et celle-ci lui (*rappeler*) _____ avoir
signer un testament dans lequel il l'(*obliger*) _____ à
épouser un jeune homme de 26 à 28 ans.

6 Vers neuf heures, Rosa (*réveiller*) _____ Cornélius et lui
(*apporter*) _____ un vase de Chine dans lequel
(*se trouver*) _____ la tulipe noire à peine éclose.

ACTIVITÉ DE PRÉ-LECTURE

Vocabulaire

4 **Pour savoir ce qui va arriver dans le prochain chapitre cherche
22 parties du corps présentes dans le texte et associe les lettres
restantes pour compléter la phrase.**

M. Jacob, alias _ _ _ _ _ _, a l'intention de _ _ _ _ _ la tulipe noire.

B	R	A	S	M	A	I	N	P	I	E	D
M	C	O	U	J	C	H	A	I	R	B	P
O	N	E	Z	O	H	O	L	X	T	E	O
L	V	S	Q	U	E	L	E	T	T	E	I
L	I	L	V	E	V	Œ	V	O	E	D	T
E	S	A	N	G	E	I	R	S	M	O	R
T	A	E	P	A	U	L	E	O	P	I	I
L	G	Y	E	U	X	E	S	R	E	G	N
T	E	T	E	P	O	I	G	N	E	T	E

Chapitre 6

La floraison

5 Le lendemain soir, après les paroles échangées et les caresses, Rosa apporta une grande nouvelle à Cornélius.

– Eh bien ! dit-elle, elle a levé !

– Elle a levé ! Quoi ? Qui ? demanda Cornélius agité.

– La tulipe, dit Rosa.

– Comment, s'écria Cornélius, vous permettez donc que l'on en parle ?

– Eh oui, dit Rosa avec tendresse.

– Ah ! Rosa ! dit Cornélius en allongeant les lèvres à travers le grillage dans l'espoir de toucher une joue, une main, un front.

Il toucha deux lèvres entrouvertes et Rosa poussa un petit cri. Mais il fallait se hâter* de continuer la conversation.

– Elle a levé bien droit ? Elle est bien haute ? demanda-t-il.

– Bien droit et haute de deux pouces au moins, dit Rosa.

– Oh ! Rosa, prenez-en soin et vous verrez comme elle va grandir vite.

– Je ne pense qu'à elle ! fit Rosa.

– Qu'à elle ? Prenez garde, c'est moi qui vais être jaloux à mon tour.

– Mais vous savez que penser à elle, c'est penser à vous. De mon lit je la vois et c'est la première chose que je regarde quand je me

se hâter se dépêcher

60

réveille ; et la dernière quand je m'endors. Le jour je travaille près d'elle car depuis qu'elle est dans ma chambre je n'en sors plus.

– Vous avez raison Rosa, c'est votre dot.

– Oui, grâce à elle j'épouserai un jeune homme que j'aimerai.

– Taisez-vous méchante.

Cornélius était le plus heureux des hommes, chaque jour amenait un progrès dans la tulipe et dans l'amour des deux jeunes gens. Finalement la fleur révéla un peu sa couleur : Rosa put distinguer un filet de couleur foncé comme l'encre et Cornélius poussa un cri de joie folle.

– Oh ! dit-il en joignant les mains, vous êtes un ange ! Rosa vous avez tant travaillé que ma rose va fleurir ! Rosa vous êtes ce que Dieu a créé de plus parfait sur la terre !

– Après la tulipe cependant ?

– Taisez-vous ! Par pitié ne gâtez* pas ma joie ! Mais dites-moi, d'ici trois jours elle aura donc fleuri ?

– Demain ou après-demain, oui.

– Oh ! Je ne la verrai pas, ni pourrai l'embrasser comme j'embrasse vos mains, vos cheveux, vos joues…

Rosa approcha volontairement sa joue et les lèvres du jeune homme s'y collèrent.

– Dès qu'elle sera ouverte, mettez-la bien à l'ombre et allez vous-même prévenir le président de la société d'horticulture de Harlem. Emportez la tulipe avec vous, ne vous en séparez jamais.

– Mais comme ça je me sépare de vous, dit Rosa attristée.

– Vous avez raison ma douce Rosa. Je ne pourrais vivre sans vous. Alors envoyez quelqu'un à Harlem et faites venir le président à Loevestein.

gâtez gâchez

La nuit s'écoula bien douce mais aussi bien agitée pour Cornélius. À chaque instant il lui semblait que Rosa l'appelait. La nuit suivante, Rosa arriva légère comme un oiseau.

– Et bien ? demanda Cornélius.

– Cette nuit votre tulipe fleurira ! Elle fleurira noire comme du jais*, sans aucune tache d'une autre couleur, répondit Rosa.

– Quand elle aura fleuri, vous devrez trouver un messager sûr.

– J'en ai déjà un, c'est le batelier de Loevestein. C'est un de mes amoureux, il ferait n'importe quoi pour moi.

– Et bien en dix heures ce garçon peut être à Harlem. Vous écrirez au président et il viendra, j'en suis certain.

– Mais s'il tarde ?

– Un amateur de tulipes n'attendra pas une heure, une minute, une seconde pour voir la huitième merveille du monde. Vous garderez le double du procès-verbal. Mais surtout que personne ne la voie avant lui ! On la volerait !

– Je veillerai, soyez tranquille, le rassura Rosa. Je retourne auprès de la tulipe et aussitôt ouverte vous serez prévenu. Au revoir mon bien aimé, fit Rosa folle de joie.

– Il ne me manque qu'une chose, Rosa. Votre joue fraîche, votre joue rose, votre joue veloutée.

Les lèvres du prisonnier rencontrèrent celle de la jeune fille. Rosa s'enfuit et Cornélius resta l'âme suspendue à ses lèvres, le visage collé au guichet. Il étouffait de joie et de bonheur. Il ouvrit sa fenêtre.

Pendant une partie de la nuit il resta suspendu aux barreaux de sa fenêtre : il regardait la terre, il écoutait le ciel. Peut-être qu'en

---

jais pierre noire

ce moment Rosa tenait la tige de la tulipe entre ses doigts délicats. Peut-être touchait-elle son calice entrouvert et que les lèvres l'effleuraient avec précaution. Une étoile traversa tout l'espace et Cornélius tressaillit.

– Ah ! dit-il, voilà Dieu qui envoie une âme à ma fleur.

Au même moment il entendit des pas légers dans le couloir.

– Cornélius, mon bien aimé, venez vite ! dit Rosa. Elle est ouverte, elle est noire, la voilà ! dit-elle après l'avoir embrassé.

– Comment la voilà ! cria Cornélius sur le point de s'évanouir. Oh mon Dieu ! Vous me récompensez de mon innocence et de ma captivité.

Cornélius retenant son haleine* toucha du bout des lèvres la pointe de la tulipe qui était belle, splendide, magnifique. Sa longue tige, ses quatre feuilles vertes et lisses, sa fleur tout entière était noire et brillante comme du jais.

Il fallait à présent écrire la lettre mais Rosa l'avait déjà fait et la lui lut. Cornélius y mit l'adresse de maître Van Systens, bourgmestre et président de la Société horticole de Harlem.

Mais les pauvres jeunes gens avaient grand besoin de la protection du Seigneur car Jacob n'était autre qu'Isaac Boxtel. Nous l'avions vu faire amitié avec Gryphus et dire du mal de son prisonnier qu'il assurait avoir passé un pacte avec Satan pour nuire à Son Altesse le prince d'Orange. Il avait au début réussi à séduire Rosa qui, l'ayant vu dans le jardin, était devenue prudente. Ce qui inquiétait Cornélius, c'était la grande colère que ce Jacob avait exprimée contre le geôlier à propos du caïeu écrasé.

Boxtel imaginait bien que Cornélius avait un autre caïeu et il surveillait donc Rosa de près. Dans le couloir, il avait ainsi appris

haleine souffle

l'existence du second caïeu. Rosa avait fait semblant de le planter mais Boxtel continuait à l'épier. Il l'avait vue transporter un grand pot de faïence. Il l'avait vue laver ses mains pleines de terre.

Enfin, il loua une petite chambre juste en face de la fenêtre de Rosa pour contrôler tout ce qui s'y passait avec son télescope. Dès le matin au soleil levant, le pot de faïence était sur le bord de la fenêtre. À l'intérieur, il y avait le deuxième caïeu. Lorsque les nuits étaient trop froides ou quand il faisait trop chaud, Rosa rentrait le pot de faïence. Elle suivait toutes les instructions de Cornélius.

L'envieux n'avait plus de doute. Cornélius possédait deux caïeux, et le second était confié à l'amour et aux bons soins de Rosa. Il fallait donc qu'il trouve un moyen pour le leur voler mais Rosa ne quittait pas sa chambre de la journée. Pendant les sept jours de brouille* avec Cornélius, elle ne l'avait plus quittée le soir.

Puis leurs rendez-vous nocturnes reprirent et Boxtel commença à en profiter pour étudier la porte de Rosa. Il vola la clé mais Rosa s'apercevant qu'elle ne l'avait plus, avait fait changer la serrure. Il fallait donc trouver un autre moyen. Il essaya toutes les clés qu'il trouva sans résultat, il n'y avait donc qu'une chose à faire.

Il enduisit une clé qui entrait dans la serrure avec de la cire et petit à petit il réussit à avoir une empreinte. Il travailla la clé avec une lime et la porte de Rosa s'ouvrit sans bruit et sans effort. Il se retrouva seul avec la tulipe.

Un voleur ordinaire aurait mis le pot sous son bras et l'aurait emporté mais Boxtel n'était pas un voleur ordinaire. Il réfléchit que si la tulipe ne fleurissait pas noire, il ferait un vol inutile. Non, il valait

---

brouille dispute, mésentente

mieux attendre la floraison vu qu'il pouvait désormais entrer dans la chambre de Rosa quand il voulait.

Ainsi, tous les soirs, pendant que les jeunes gens passaient une douce heure au guichet, Boxtel entrait dans la chambre de la jeune fille pour suivre les progrès que faisait la tulipe noire dans sa floraison.

Le soir où nous sommes arrivés, il avait vu Rosa sortir de sa chambre. Il était donc allé voir Gryphus avec une bouteille dans chaque poche. Une fois le geôlier gris*, il était le maître de la maison.

À deux heures du matin, Boxtel vit Rosa sortir de sa chambre, elle tenait visiblement un objet dans les bras et le portait avec précaution. Cet objet était sans aucun doute la tulipe noire qui venait de fleurir.

Mais qu'allait-elle en faire ? Allait-elle à l'instant même partir pour Harlem avec elle ? Il n'était pas possible qu'une jeune fille entreprenne un tel voyage seule dans la nuit. Peut-être allait-elle montrer la tulipe à Cornélius…

Boxtel suivit Rosa pieds nus et sur la pointe des pieds. Il la vit s'approcher du guichet et l'entendit appeler Cornélius. À la lueur de la lanterne il vit la tulipe noire.

Il entendit tout le projet de Cornélius et Rosa d'envoyer un messager à Harlem et vit leurs lèvres se toucher. Puis Rosa éteignit la lanterne et reprit le chemin de sa chambre.

Il la vit dix minutes après sortir de sa chambre et fermer la porte à double tour. Caché sur le palier de l'étage supérieur, il descendit une

gris ivre

marche de son étage à lui, lorsque Rosa descendait une marche du sien.

Boxtel, d'une main légère, ouvrit finalement la porte de la chambre de Rosa.

Voilà pourquoi nous avons dit au commencement de ce chapitre que les pauvres jeunes gens avaient bien besoin de la protection du Seigneur. ■

Compréhension

1 **Coche la bonne réponse et justifie ton choix en citant un passage du texte.**

1 **Cornélius donne à Rosa :**
   a ☐ l'ordre de lui apporter la tulipe noire.
   b ☐ de surveiller la tulipe.
   c ☐ de remettre la tulipe à un batelier.
   Justification : _____
   _____.

2 **Selon Cornélius, le président de la société d'horticulture de Harlem :**
   a ☐ va accourir pour voir la tulipe noire.
   b ☐ va accorder un rendez-vous à Rosa pour voir la tulipe.
   c ☐ va se rendre à Loevestein pour voir la tulipe.
   Justification : _____
   _____.

3 **Cornélius tressaille car :**
   a ☐ ses lèvres rencontrent celles de Rosa.
   b ☐ il reçoit un signe du Ciel.
   c ☐ le batelier est l'un des amoureux de Rosa.
   Justification : _____
   _____.

4 **Pour entrer dans la chambre de Rosa :**
   a ☐ Boxtel passe par la fenêtre.
   b ☐ Boxtel profite de la porte ouverte.
   c ☐ Boxtel fait un double de la clé.
   Justification : _____
   _____.

5 **Boxtel distrait le geôlier :**
   a ☐ en le faisant boire.
   b ☐ en lui parlant de son amour pour Rosa.
   c ☐ en disant du mal de Cornélius.
   Justification : _____
   _____.

Grammaire

2 **Transforme les phrases au style indirect en faisant attention à la concordance des temps.**

« La tulipe lève bien droite, elle est bien haute »
Il a dit que *la tulipe levait bien haute et qu'elle était bien droite*.

1 « Taisez-vous ! Par pitié ne gâtez pas ma joie ! »
Il lui a dit _____.

2 « Je ne la verrai pas, ni pourrai l'embrasser comme j'embrasse vos mains »
Tu déclarais que _____.

3 « Vous avez raison ma douce Rosa, je ne pourrais vivre sans vous »
Vous disiez que _____.

4 « Cette nuit votre tulipe fleurira noire comme le jais »
Elle lui avait assuré que _____.

5 « Vous écrirez au président et il viendra, j'en suis certain »
Il a affirmé _____.

6 « Oh mon Dieu Rosa ! Vous me récompensez de mon innocence et de ma captivité »
Vous êtes sûr que _____.

DELF – Production écrite

3 **Tu écris un article signé par le président de la société d'horticulture de Harlem sur la façon dont la tulipe noire a été découverte.**

ACTIVITÉ DE PRE-LECTURE

4 **Coche la réponse qui te semble la plus adéquate et vérifie après avoir lu le septième chapitre du roman.**

Dans le prochain chapitre Rosa se rend chez Van Systens, bourgmestre de Harlem et président de la société d'horticulture. Celui-ci définit un vrai Hollandais celui qui aime :

a ☐ la bière, le fromage et les tulipes

b ☐ l'eau, la bière et les fleurs

c ☐ les Français, le fromage et les moulins

Le vol de la tulipe noire

Déjà les premiers rayons du jour entraient par la fenêtre quand Cornélius entendit des pas dans l'escalier et des cris. Presque au même moment, il se trouva en face du visage pâle et décomposé de Rosa.

– Cornélius ! La tulipe... on nous l'a prise, on nous l'a volée, s'écria-t-elle en tombant à genoux.

– Mais comment cela ? demanda Cornélius. Vous n'avez pas fermé votre porte à clé ?

– Je suis sortie un instant pour prévenir notre messager et la clé ne m'a pas quittée. La porte était fermée mais la tulipe avait disparu. Quelqu'un a dû faire une fausse clé.

Les larmes lui coupaient la parole. Cornélius serra les grilles du guichet avec fureur. Mais tous deux connaissaient le voleur et il fallait à tout prix le rejoindre. Cornélius tenta d'enfoncer le grillage, secoua la porte avec force. Le pauvre commençait à devenir fou. Tout ce bruit attira l'attention de Gryphus.

Le geôlier saisit rudement sa fille par le poignet mais celle-ci se lança dans l'escalier en disant que tout n'était pas encore perdu. Son père la suivit en hurlant. Quant au pauvre tulipier, il tomba lourdement sur le sol de sa chambre en murmurant :

– Volée ! On me l'a volée !

Pendant ce temps, Boxtel sortait du château, la tulipe noire enveloppée dans un large manteau. Il monta dans une carriole et arriva le lendemain matin à Harlem, harassé* mais triomphant. Il changea sa tulipe de pot pour faire disparaître toute trace de vol, brisa le pot de faïence et jeta les morceaux dans un canal. Puis, il écrivit une lettre au président de la société horticole dans laquelle il annonçait qu'il venait d'arriver à Harlem avec une tulipe noire. Il s'installa dans un hôtel avec sa fleur et là, il attendit.

Rosa, voyant le désespoir de son bien aimé, était bien décidée à reprendre la tulipe. Elle rentra dans sa chambre, fit un paquet de ses effets personnels, prit ses économies et mit le troisième caïeu dans sa poitrine avant de s'enfuir. Ne trouvant pas de carriole, elle dut louer un cheval.

Rosa rejoignit son messager, le batelier qui l'aiderait et l'emmènerait à Harlem. Les deux voyageurs étaient déjà partis depuis cinq heures et Gryphus ne savait pas encore que sa fille avait quitté la forteresse. Quant à Jacob, alias Boxtel, il avait déjà quatre lieues* d'avance sur Rosa et le batelier.

Ce ne fut que vers midi que Gryphus s'aperçut de la disparition de Rosa et se mit à la chercher. Rosa venait d'entrer à Rotterdam. La colère du geôlier fut très grande et il monta chez Van Baerle qu'il insulta et menaça. Il lui promit la faim et les coups de bâton. Cornélius écoutait le geôlier le maltraiter en restant immobile, triste, anéanti, insensible à toute émotion. Gryphus soupçonna Jacob d'avoir enlevé sa fille.

La jeune fille, après avoir fait une halte de deux heures à Rotterdam, s'était remise en route et était arrivée à Delft où elle avait passé la nuit.

---

harassé exténué, fatigué   **lieues** unité de distance

Elle arriva le lendemain à Harlem, quatre heures après Boxtel. Elle se fit tout d'abord conduire chez le président de la société horticole, maître Van Systens. Elle se fit annoncer sous le nom de Rosa Gryphus mais, ce nom lui étant inconnu, Van Systens refusa de la recevoir. Elle insista :

– Annoncez à M. le président que je viens lui parler de la tulipe noire.

Sésame ouvre-toi ! Ces mots magiques lui permirent d'entrer dans le bureau du président. C'était un bon petit homme au corps grêle* qui ressemblait exactement à une fleur !

– Mademoiselle, s'écria-t-il, vous dites que vous venez de la part de la tulipe noire ?

– Oui monsieur, répondit Rosa, je viens du moins pour vous parler d'elle.

– Elle se porte bien ? fit Van Systens.

– Hélas ! Monsieur, je ne sais pas, on me l'a volée.

– Savez-vous qui ?

– Oh je m'en doute, mais je n'ose pas encore accuser.

– Le voleur ne devrait pas être loin parce que je l'ai vu il y a deux heures, ainsi que la tulipe noire. N'êtes-vous pas au service de M. Isaac Boxtel mademoiselle ?

– Monsieur, je ne sais pas qui est ce monsieur Boxtel. Il y a donc une autre tulipe noire en dehors de la mienne ? demanda Rosa toute frissonnante.

– Il y a celle de Boxtel, noire, sans aucune tache et il la déposera bientôt ici car le prix lui sera décerné.

– Monsieur, s'écria Rosa, ce Boxtel est-il un homme maigre, chauve ayant l'œil hagard* ? Voûté, les jambes tordues ?

---

grêle fragile   **hagard** perdu

– En vérité c'est son portrait, dit Van Systens.

– La tulipe est-elle dans un pot de faïence bleue et blanche à fleurs jaunâtres ?

– Ah ! Quant à cela j'en suis moins sûr, j'ai plus regardé la fleur que le pot.

– C'est ma tulipe monsieur ! Et je viens la réclamer à vous, c'est la mienne ! Je l'ai plantée et élevée moi-même.

– Eh bien, allez trouver M. Boxtel à l'hôtel du Cygne blanc et arrangez-vous avec lui. Je me contenterai de faire mon rapport et de constater l'existence de la tulipe noire et de donner les cent mille florins à son inventeur.

Et M. Van Systens, reprenant sa belle plume, continua son rapport. Rosa prit le chemin du Cygne blanc, toujours suivie de son robuste batelier qui aurait été capable de dévorer à lui seul dix Boxtel. Celui-ci avait été mis au courant de toute l'affaire et ne reculait pas devant la lutte ; seulement, il avait l'ordre de ménager* la tulipe. Ils étaient presque arrivés quand Rosa s'arrêta net :

– Mon Dieu ! murmura-t-elle, si je vais chez Boxtel et que ce n'est pas mon Jacob ? Si c'est un amateur qui a lui aussi découvert la tulipe noire ? Si je ne reconnais pas l'homme mais seulement la tulipe ? Comment prouver que la tulipe est à moi ? Et si je reconnais ce Boxtel, que va-t-il se passer ? Tandis que nous discuterons la tulipe mourra ! Oh ! Inspirez-moi Sainte-Vierge ! Il faut retourner chez le président.

Au bout de la rue il y avait un grand bruit, les gens couraient, les portes s'ouvraient. Rosa était insensible à tout ce mouvement de population. Elle reprit avec son batelier le chemin qui les conduisit tout droit chez M. Van Systens.

ménager manipuler avec délicatesse

Partout sur son passage Rosa n'entendait parler que de la tulipe noire et du prix de cent mille florins. La nouvelle courait déjà la ville. Quand Van Systens la vit de nouveau, il se mit en colère et voulut la renvoyer mais Rosa joignit les mains et le supplia :

– Monsieur, dit-elle, au nom du Ciel ! Écoutez ce que je vais vous dire.

– Mais mon rapport ! trépignait Van Systens, mon rapport sur la tulipe noire !

– Monsieur, continua Rosa, votre rapport reposera sur des faits criminels si vous ne m'écoutez pas. Je vous en supplie, monsieur, faites venir ici ce M. Boxtel que je soutiens être M. Jacob. Je jure de lui laisser la propriété de sa tulipe si je ne reconnais ni lui, ni elle.

– Et qu'est-ce que cela prouvera quand vous les aurez reconnus ? demanda Van Systens.

– Mais enfin, dit Rosa désespérée, vous êtes honnête homme, monsieur. Eh bien, si non seulement vous alliez donner le prix à un homme pour une œuvre qu'il n'a pas faite, mais si encore pour une œuvre volée.

Peut-être Rosa avait-elle amené une certaine conviction dans le cœur de Van Systens mais on entendit un grand bruit dans la rue et des exclamations ébranlèrent* toute la maison. M. Van Systens poussa un cri en apercevant son escalier envahi jusqu'au vestibule.

Accompagné, ou plutôt suivi de la multitude, un jeune homme vêtu simplement d'un habit de velours violé brodé* d'argent montait avec une noble lenteur les marches en pierre. Derrière lui marchaient deux officiers, l'un de la marine, l'autre de la cavalerie.

– Monseigneur, s'écria Van Systens en s'inclinant, Votre Altesse chez moi !

ébranlèrent secouèrent   **brodé** décoré avec du fil

– Cher M. Van Systens, dit Guillaume d'Orange, je suis un vrai hollandais. J'aime l'eau, la bière et les fleurs et celles que je préfère sont naturellement les tulipes. J'ai entendu dire que la ville de Harlem possédait la tulipe noire et je viens vous en demander des nouvelles. Vous avez la fleur ici ?

– Hélas non, monseigneur, je ne l'ai pas ici. Elle est chez son propriétaire, un brave tulipier de Dordrecht qui s'appelle Boxtel. Il loge au Cygne blanc, je vais l'envoyer chercher. Cependant, ajouta Van Systens, cette tulipe est revendiquée par des imposteurs. Il est vrai qu'elle vaut cent mille florins.

– Avez-vous les preuves de ce crime monsieur ? Où est le coupable ?

– La personne qui réclame la tulipe, monseigneur, est dans la chambre à côté.

– Qu'en pensez-vous M. Van Systens ?

– Je pense que les cent mille florins l'auront tentée. J'allais l'interroger quand Votre Altesse est entrée.

– Écoutons-la M. Van Systens, je suis le premier magistrat du pays. J'entendrai la cause et je ferai justice. Passez devant, dit le Taciturne, et appelez-moi ce personnage.

Ils entrèrent dans le cabinet. Rosa était toujours à la même place. Elle se retourna au bruit et vit un homme s'asseoir dans l'angle le plus obscur de la pièce. L'humble étranger prit un livre dans la bibliothèque et fit signe à Van Systens de commencer l'interrogatoire.

– Ma fille, dit Van Systens, parlez donc devant monsieur qui est un membre de la société horticole.

– Monsieur, dit Rosa, faites venir ici M. Boxtel avec sa tulipe. Si je ne la reconnais pas je le dirai franchement mais si je la reconnais, j'irai la réclamer devant Son Altesse le stathouder lui-même, mes preuves à la main !

Un officier partit pour aller chercher Boxtel et Van Systens continua l'interrogatoire.

– Sur quoi basez-vous cette assertion* que vous en êtes la propriétaire ?

– Sur une chose simple, dit Rosa, c'est moi qui l'ai plantée et cultivée dans ma propre chambre à Loevestein. Je suis la fille du geôlier de la forteresse. Je ne suis qu'une pauvre fille du peuple qui, il y a trois mois encore, ne savait ni lire ni écrire. C'est un prisonnier qui a trouvé cette tulipe… un prisonnier d'État, murmura Rosa toute tremblante. Je le voyais tous les jours.

– Malheureuse ! s'écria M. Van Systens.

Le prince leva la tête en observant l'effroi de Rosa et la pâleur du président. Rosa raconta tout ce qui s'était passé, tout ce qu'elle avait fait.

– Mais, dit le prince, depuis quand connaissez-vous ce prisonnier ?

Rosa regarda l'inconnu dans l'ombre et dut avouer en rougissant qu'elle l'avait connu à La Haye. À ce moment-là, Boxtel entra.

assertion affirmation

Compréhension

1 **Remets les événements suivants dans l'ordre chronologique.**

- ☐ **a** Guillaume d'Orange a l'intention de faire justice et écoute la cause de Rosa.
- ☐ **b** Rosa prend le troisième caïeu et rejoint le batelier qui l'emmènera à Harlem.
- ☐ **c** Elle retourne chez Van Systens pour lui proposer un accord.
- ☐ **d** Pendant ce temps Boxtel part pour Harlem avec la tulipe noire.
- ☐ **e** Rosa avoue être tombée amoureuse d'un prisonnier d'État.
- ☐ **f** Quand elle arrive, elle insiste pour être reçue par Van Systens.
- ☐ **g** Sur son chemin elle rencontre un grand mouvement de population.
- ☐ **h** Gryphus accourt attiré par le bruit que fait Cornélius dans sa chambre.
- ☐ **i** Ce dernier dit avoir déjà rencontré le propriétaire de la tulipe, Boxtel.
- ☐ **j** Rosa se rend au Cygne blanc pour rencontrer cet inconnu mais fait demi-tour.
- ☑ **k** Cornélius se retrouve devant le visage décomposé de Rosa : la tulipe a disparu !

Grammaire

2 **Lis et complète les phrases hypothétiques avec les temps qui conviennent.**

Si on trouvait la correspondance avec M. de Louvois, cela (*prouver*) _prouverait_ combien Jean aime son pays.

1 Si Cornélius (*faire*) _____ les opérations nécessaires, il obtiendra un bistre parfait.

2 Si le prisonnier n'avait pas été gracié, Boxtel (*prendre*) _____ ses vêtements et les caïeux.

3 Rosa (*pouvoir*) _____ planter son caïeu si Cornélius le lui permet.

4 Si Boxtel (*ne pas écouter*) _____ leur conversation, il n'aurait rien su de l'existence du deuxième caïeu.

5 Personne ne (*douter*) _____ de la bonne foi de Boxtel s'il change la tulipe de pot.

6 Si Guillaume jugeait Rosa coupable, tous ses efforts (*être*) _____ inutiles.

ACTIVITÉ DE PRE-LECTURE

3 Dans le huitième chapitre il va y avoir un coup de théâtre ! Qu'est-ce qui va prouver l'innocence de Cornélius et son titre de propriété des caïeux ? Lis les définitions, complète la grille et lis les cases colorées.

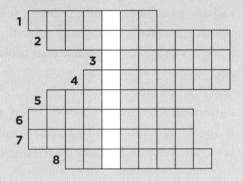

1 Le tissu de l'habit de Guillaume d'Orange.
2 L'hôtel de Boxtel.
3 Il faut en avoir pour condamner le coupable.
4 Le messager de Rosa en est un.
5 Guillaume d'Orange doit le rédiger.
6 Celui de Van Systens est envahi par la foule.
7 Rosa y fait une halte de deux heures.
8 Le moyen de transport de Boxtel pour se rendre à Harlem.

Chapitre 8

La tentative d'évasion de Cornélius Van Baerle

Boxtel entra donc dans le salon, suivi de deux hommes portant dans une caisse le précieux fardeau*, qui fut déposé sur une table.

Le prince quitta le cabinet, passa dans le salon, admira, se tut, et revint silencieusement prendre sa place dans l'angle obscur. Rosa, palpitante, attendait qu'on l'invite à aller voir à son tour quand elle entendit la voix de Boxtel.

– C'est lui ! s'écria-t-elle.

Le prince lui fit signe d'aller regarder dans le salon par la porte entrouverte et Rosa reconnut sa tulipe. Elle fondit en larmes. Le prince se leva, alla jusqu'à la porte pour faire entrer Boxtel.

– Son Altesse, s'écrièrent Rosa et Boxtel étonnés.

Boxtel était aussi visiblement troublé de voir Rosa et le prince s'en aperçut.

– Monsieur Isaac Boxtel, dit Guillaume, il paraît que vous avez trouvé le secret de la tulipe noire ?

– Oui, monseigneur, répondit Boxtel gêné.

– Mais voici une jeune fille qui prétend l'avoir trouvé aussi. Vous la connaissez ?

– Non, monseigneur, répondit-il en haussant les épaules.

fardeau poids

80

– Et vous, jeune fille, connaissez-vous M. Boxtel ? demanda Guillaume à Rosa.

– Non, mais à Loevestein celui qui se fait appeler Isaac Boxtel se faisait appeler M. Jacob.

– Cette jeune fille ment, intervint Boxtel. Je ne peux nier* être allé à Loevestein mais je nie avoir volé la tulipe. Il y a vingt ans que je cultive les tulipes à Dordrecht, j'ai même acquis dans cet art une certaine réputation. Cette jeune fille savait que j'avais trouvé la tulipe noire, et avec un certain amant prisonnier à Loevestein, elle a formé le projet de me ruiner en s'appropriant le prix de cent mille florins.

Rosa, outrée* de colère, faillit s'évanouir car le prisonnier en question était retenu par le prince comme un grand coupable.

– Ce prisonnier, continua Boxtel, est un criminel d'État que vous avez une fois condamné à mort.

– Et qui s'appelle ? demanda le prince.

Rosa cacha sa tête dans ses deux mains, désespérée.

– Qui s'appelle Cornélius Van Baerle, dit Boxtel, filleul de Corneille de Witt.

Le prince tressaillit et son œil jeta une flamme. Il alla vers Rosa et lui fit signe d'écarter ses mains de son visage. Rosa obéit comme une femme soumise à un pouvoir magnétique.

– Je suis allé à Loevestein pour mes affaires, reprit Boxtel, et j'y ai connu Gryphus. Je suis tombé amoureux de sa fille et lui ai demandé sa main. Comme je n'étais pas riche je lui ai parlé du prix et de ma tulipe noire. Ils ont comploté et cette jeune fille me l'a volée. Je l'ai simplement reprise dans sa chambre au moment où elle avait l'audace

nier dire le contraire   **outrée** scandalisée

d'envoyer un messager pour annoncer qu'elle venait de trouver la grande tulipe noire.

– Oh mon Dieu ! L'infâme ! gémit Rosa en se jetant aux pieds du stathouder.

– Vous avez mal agi, dit Guillaume, votre amant sera puni pour vous avoir conseillée.

– Monseigneur ! s'écria Rosa. Cornélius n'est pas plus coupable du premier crime qu'il ne l'est du second. Il ignorait qu'il détenait la correspondance du grand pensionnaire et du marquis de Louvois.

– Silence ! dit le prince. Quant à la tulipe, soyez tranquille M. Boxtel, justice sera faite. Vous, jeune fille, vous avez failli commettre un crime mais le vrai coupable paiera pour vous deux. Un homme de son nom peut conspirer... mais il ne doit pas voler.

– S'il y a eu un vol, monseigneur, c'est cet homme qui l'a commis ! insista Rosa. Et je le prouverai !

Puis, se retournant vers Boxtel :

– La tulipe était donc à vous ? Combien de caïeux avait-elle ?

– Trois, répondit Boxtel.

– Et où est le troisième ?

– Le troisième est chez moi à Dordrecht, répondit-il tout troublé.

– Vous mentez ! s'écria Rosa. Monseigneur, ajouta-t-elle en se tournant vers le prince, je vais vous raconter la véritable histoire de ces trois caïeux. Le premier a été écrasé par mon père dans la chambre du prisonnier, et cet homme le sait bien car il espérait s'en emparer. Le second, soigné par moi, a donné la tulipe noire et le troisième, le dernier, le voici.

Rosa le tira de sa poitrine.

– Le voici, monseigneur, dans le même papier qui l'enveloppait avec les deux autres quand, au moment de monter sur l'échafaud, Cornélius Van Baerle me les a donnés tous les trois, tenez, monseigneur, tenez !

Rosa tendit le caïeu au prince qui l'examina et tout à coup les yeux de la jeune fille s'enflammèrent. Elle venait de lire quelques lignes tracées sur le papier resté entre ses mains.

– Oh ! Lisez, monseigneur, au nom du Ciel, lisez !

Guillaume passa le caïeu au président et lut le papier. Sa main trembla et ses yeux prirent une effrayante couleur de douleur et de pitié. Cette feuille était la page de la Bible que Corneille de Witt avait envoyée à Cornélius pour le prier de brûler la correspondance du grand pensionnaire avec Louvois.

Cette feuille était à la fois la preuve de l'innocence de Van Baerle et son titre de propriété des caïeux de la tulipe. Rosa et le stathouder échangèrent un seul regard.

Celui de Rosa voulait dire : « Vous voyez bien ! »

Celui du stathouder signifiait : « Silence et attends ! »

Le prince essuya une goutte de sueur froide qui venait de couler sur sa joue, plia le papier et le mit dans sa poche.

– Allez, M. Boxtel, justice sera faite. Quant à vous, M. Van Systens, gardez ici cette jeune fille et la tulipe, dit le prince avant de sortir. Adieu.

Boxtel s'en retourna au Cygne blanc, assez tourmenté. Ce papier l'inquiétait.

Rosa s'approcha de la tulipe et embrassa sa feuille en murmurant :

– Mon Dieu ! Saviez-vous vous-même dans quel but mon bon Cornélius m'apprenait à lire ?

Oui, Dieu le savait, puisque c'est lui qui punit et qui récompense les hommes selon leur mérite.

❖ ❖ ❖

Pendant ce temps, à Loevestein, Gryphus était devenu un bourreau à l'égard de Cornélius. Ce dernier avait pensé étrangler son geôlier et s'évader mais il s'agissait du père de Rosa. Un jour, Gryphus entra dans sa chambre armé d'un bâton. Cornélius se mit à chanter et lui rappela que tout geôlier qui frappe un prisonnier s'expose à de grandes punitions.

Sa chanson, dont l'air calme et doux augmentait la mélancolie, exaspéra Gryphus. Cornélius se moquait de lui. Le visage altéré et les yeux brillants, il s'approcha du prisonnier avec l'intention de lui faire avouer tous ses crimes.

Gryphus fit un moulinet avec son bâton. Au moment où il le leva, Cornélius s'élança sur lui, le lui arracha des mains et le mit sous son propre bras. Gryphus hurla de colère qu'il ne lui apporterait plus de pain.

– C'est un assassinat ! s'écria Cornélius.

– Rends-moi ma fille Rosa, hurla Gryphus en sortant un couteau de sa poche. Tu me l'as enlevée par ton art du démon. Vois-tu ce couteau ? Je vais t'ouvrir le cœur pour voir où tu la caches.

En disant ces mots, Gryphus se précipita sur Cornélius qui eut juste le temps de se jeter derrière sa table pour éviter le premier coup.

Il ne perdit donc pas son temps et avec le bâton qu'il avait conservé, il donna un coup vigoureux sur le poignet qui tenait le couteau. Le couteau tomba par terre, et Cornélius mit son pied dessus.

Enfin, il roua de coups* son geôlier dont les cris avaient attiré l'attention de tous les employés de la maison qui accoururent. Cornélius fut désarmé et un procès-verbal fut dressé. Il était accusé de violences sur son gardien et de tentative d'assassinat avec préméditation.

On était encore en train de verbaliser quand un officier entra dans la chambre de Cornélius.

– C'est ici le n° 11 ? demanda-t-il. C'est ici la chambre du prisonnier Cornélius Van Baerle ?

– Précisément, répondit un garde.

– Suivez-moi ! dit l'officier à Cornélius.

– Oh ! Oh ! dit Cornélius, comme ça va vite à la forteresse de Loevestein. Allons, montrons à ces gens-là qu'un bourgeois, filleul de Corneille de Witt, peut supporter une exécution sans faire la grimace*.

Il suivit donc l'officier le cœur résolu et la tête haute. Mais il allait mourir sans avoir donné un dernier baiser à Rosa et sans avoir eu de nouvelles de la grande tulipe noire.

Arrivé sur l'esplanade en dehors de la forteresse, il chercha des yeux ses exécuteurs. Il vit une douzaine de soldats en train de discuter… mais sans mousquets.

Gryphus, s'appuyant à une béquille, apparut les yeux pleins de haine. Il se mit alors à vomir contre Cornélius un tel torrent de malédictions que Cornélius s'adressa à l'officier :

---

roua de coups battit   **grimace** drôle expression du visage

– Monsieur, je ne crois pas qu'il soit convenable de me laisser ainsi insulter par cet homme, surtout dans un pareil moment.

– Bah ! dit le colonel, laissez-le dire. Peu importe à présent !

Une sueur froide passa sur le front de Cornélius qui trouva la réponse un peu brutale. Il comprit qu'il n'avait plus d'amis et se résigna*. L'officier lui montra un carrosse qui lui rappela celui du Buitenhof.

– Montez là-dedans, dit l'officier.

– Ah ! murmura Cornélius, l'exécution n'aura pas lieu ici.

L'officier s'approcha de lui et lui dit tout bas :

– On a vu des condamnés conduits dans leur propre ville et, pour que l'exemple soit plus grand, y subir leur supplice devant la porte de leur propre maison. Cela dépend.

La voiture roula et Cornélius se dit en lui-même :

– Si l'on me conduit à Dordrecht, je verrai en passant devant ma maison, si mes pauvres plates-bandes ont été bien ravagées*.

---

se résigna se fit une raison   **ravagées** saccagées, détruites

ACTIVITÉS DE POST-LECTURE

Compréhension

1 **Complète les phrases de façon la plus exhaustive possible en recueillant tous les éléments nécessaires dans le texte.**

Deux hommes suivent Boxtel dans le salon, ils *portent dans une caisse le précieux fardeau qui est déposé sur une table* .

1 Rosa est surprise et fond en larmes quand elle _____ _____.

2 Rosa dit au prince qu'elle reconnaît Boxtel mais _____ _____.

3 Le prince décide de punir Cornélius parce qu'à cause de lui _____.

4 Rosa prouve que Boxtel alias Jacob ment à propos _____ _____.

5 Le papier qui enveloppe le caïeu suscite certaines réactions, en effet _____ _____.

6 Ce papier est important car il s'agit de _____ _____.

7 Cornélius chante dans sa chambre et cela exacerbe Gryphus qui _____.

8 Gryphus accuse Cornélius d'avoir enlevé sa fille par son art du démon et pour cela _____ _____.

9 Cornélius roue de coups son geôlier mais les employés de la maison _____ _____.

Vocabulaire

2 **Résous les anagrammes des mots sur la justice.**

Après l'ERAORISTTNA *arrestation* de Cornélius, ses RBERAUXUO *bourreaux* l'on accompagné jusqu'au BEGIT ___gibet___ .

1 Les gardes ont escorté l'SAUCÉC _____ dans un OCCTHA _____ de la NPISOR _____ du Buitenof.

2 Les VEESURP _____ que le GUEJ _____ a trouvées sont des papiers SUITIDXÉE _____.

3 Le RRPIOENSNI _____ a été accompagné dans sa ELELCUL _____ par le EGILERÔ _____ de la prison.

4 Le MADONNÉC _____ à mort est monté lentement à l'UAFÉADHC _____ et a posé sa tête sur le LILTOB _____.

5 Le GRIEEFFR _____ a annoncé la TCSEEENN _____ concernant l'exécution du prisonnier condamné pour TISSSSNAAA _____ .

6 Le MGISTARAT _____ a condamné le PACOLUEB _____ à la réclusion à TEÉRPPTUIÉ _____.

7 Le juge a procédé à l'EIEOROGNATTIRR _____ avant de transcrire les IAERTNOSSS _____ du condamné dans le PORCSÈ-VLBARE _____.

ACTIVITÉ DE PRE-LECTURE

3 **Fais ton pronostic et vérifie tes réponses après avoir lu le dernier chapitre de *La Tulipe Noire*.**

1 **Cornélius va être transféré à Harlem pour être :**
   a ☐ emprisonné
   b ☐ gracié
   c ☐ exécuté

2 **La personne qui va recevoir le prix pour avoir trouvé la tulipe noire va être :**
   a ☐ Rosa
   b ☐ Cornélius
   c ☐ Boxtel

3 **Cornélius va se sentir trahi par :**
   a ☐ Van Systens
   b ☐ Gryphus
   c ☐ Rosa

4 **Cornélius et Rosa vont :**
   a ☐ se séparer à cause de Gryphus
   b ☐ se marier grâce à Guillaume d'Orange
   c ☐ se disputer à cause de Boxtel

Chapitre 9

Justice est faite

▶ 6 La voiture roula jour et nuit. Cornélius posa quelques questions à l'officier qui l'accompagnait et celui-ci ne répondit pas. Le lendemain, ils arrivèrent à Harlem mais Cornélius ignorait ce qui s'y était passé la veille.

Nous avons vu que Rosa et la tulipe, comme deux sœurs et deux orphelines, avaient été laissées le matin chez le président Van Systens. La jeune fille ne reçut aucune nouvelle du stathouder avant le soir, quand un officier entra. Il venait de la part de Son Altesse qui l'invitait à se rendre à la maison de ville. C'est dans le grand cabinet des délibérations qu'elle fut introduite. Le prince était seul et écrivait. Il leva les yeux et vit Rosa debout près de la porte.

– Venez, mademoiselle, dit-il. Asseyez-vous.

Rosa obéit pendant que le prince achevait* sa lettre en caressant de temps à autre un lévrier* qu'il avait à ses pieds.

– Ma fille, reprit-il, nous ne sommes que deux, causons. Vous avez donc un père à Loevestein et vous ne l'aimez pas ?

– Pas comme une fille devrait l'aimer monseigneur, répondit Rosa en baissant les yeux.

– Et pour quelle raison n'aimez-vous pas votre père ?

– Mon père est méchant, il maltraite tous les prisonniers, en particulier M. Van Baerle.

---

achevait terminait   **lévrier** race de chien

– Qui est votre amant.

– Que j'aime depuis le jour où je l'ai vu, fit Rosa fièrement, le lendemain où furent mis à mort Jean et son frère Corneille.

Les lèvres du prince se serrèrent, son front plissa, ses paupières se baissèrent. Au bout d'un instant de silence il reprit.

– Mais pourquoi aimer un homme destiné à vivre et à mourir en prison ?

– Cela me permettra, monseigneur, de l'aider à vivre et à mourir. Je serais la plus fière et la plus heureuse des créatures si j'étais sa femme.

– Il y a un sentiment d'espérance dans votre accent : qu'espérez-vous ?

Rosa leva ses beaux yeux sur Guillaume qui allèrent chercher la clémence endormie au fond de ce cœur sombre. Rosa joignit les mains et le prince comprit qu'elle espérait en lui. Il cacheta* la lettre qu'il venait d'écrire et appela un officier avec l'ordre de l'apporter à Loevestein.

– Ma fille, poursuivit le prince, dimanche c'est la fête de la tulipe. Faites-vous belle avec les cinq cents florins que voici ; je veux que ce soit une grande fête pour vous. Prenez une robe de mariée, elle vous ira très bien.

❖ ❖ ❖

Harlem était une très jolie ville, l'une des plus ombragées* de la Hollande. Une ville horticole bien aérée, bien chauffée au soleil, qui donnait aux jardiniers plus de garanties qu'ailleurs avec ses vents de

---

cacheta ferma la lettre   **ombragées** plantées d'arbres

mer et ses soleils de plaine. Aussi s'y étaient installés tous ces esprits qui possédaient l'amour de la terre.

Harlem prit donc le goût des choses douces, de la musique, de la peinture, des vergers, des promenades, des bois et des parterres. Elle devint folle des fleurs et surtout des tulipes. Voilà pourquoi elle proposa des prix en leur honneur, comme celui du 15 mai 1673 en l'honneur de la tulipe noire sans tache et sans défaut.

Harlem avait voulu faire de cette cérémonie une fête inoubliable.

Ce jour-là la ville était en fête car la tulipe noire avait été trouvée et Guillaume d'Orange assistait à la cérémonie. En tête des notables et du comité horticole brillait M. Van Systens, paré de ses plus riches habits.

Le digne homme avait fait tous ses efforts pour ressembler à sa fleur favorite ! Il marchait en tête de son comité avec un énorme bouquet. Derrière lui, les magistrats, les militaires, les nobles et les paysans. Le peuple faisait la haie*.

La procession était douce comme le passage d'un troupeau de moutons sur terre, inoffensive comme le vol d'une troupe d'oiseaux dans l'air. Harlem n'avait d'autres triomphateurs que ses jardiniers. Adorant les fleurs, Harlem divinisait le fleuriste.

On voyait au centre du cortège pacifique et parfumé, la tulipe noire, portée sur une civière couverte de velours blanc frangé d'or. Quatre hommes la portaient.

Il était convenu que le prince stathouder distribuerait lui-même le prix de cent mille florins et qu'il prononcerait peut-être un discours. Enfin ce grand jour tant attendu était arrivé et la ville applaudissait

---

faisait la haie était de part et d'autre de la rue

cherchant des yeux l'héroïne de la fête qui était la tulipe noire, et qui en était l'auteur.

Ce triomphateur rayonnant, enivré*, ce héros du jour était Isaac Boxtel qui voyait sa prétendue fille marcher devant lui sur un coussin de velours et une vaste bourse contenant les cent mille florins. De temps en temps, il quittait pour un moment des yeux la tulipe et la bourse, redoutant* d'apercevoir Rosa dans la foule. Il avait tellement veillé cette tulipe dans le tiroir de Cornélius jusqu'à l'échafaud, de l'échafaud à Loevestein et l'avait vue naître et grandir sur la fenêtre de Rosa.

On attendait l'arrivée du prince qui proclamerait le nom de l'auteur d'une telle merveille ainsi que le nom de cette tulipe qui s'appellerait désormais *Tulipa nigra Boxtellea*.

Le cortège s'arrêta au centre d'un rond-point et les jeunes filles de Harlem escortèrent la tulipe jusqu'à l'estrade, à côté du fauteuil d'or de Son Altesse. Et la tulipe, orgueilleuse, domina bientôt l'assemblée qui battit des mains.

En ce moment solennel, un carrosse passait sur la route qui borde le bois. Il renfermait le malheureux Van Baerle, ébloui par la foule.

– Que se passe-t-il M. le lieutenant ? demanda-t-il à l'officier.

– Comme vous pouvez le voir, monsieur, c'est une fête, répliqua celui-ci.

– La fête patronale de Harlem ? demanda Cornélius, car je vois bien des fleurs.

– C'est en effet une fête où les fleurs jouent le principal rôle, monsieur.

---

enivré enthousiaste   redoutant craignant

– Oh ! Les doux parfums ! Les belles couleurs ! s'écria Cornélius. Et de quelles fleurs célèbre-t-on la fête aujourd'hui ?

– Celle des tulipes, monsieur.

– Serait-ce donc aujourd'hui qu'on donne le prix de la tulipe noire ? demanda-t-il d'une voix tremblante.

– Là-bas, sur le trône, la voyez-vous ? Allons, il faut partir, dit l'officier.

– Oh ! Par pitié ! Laissez-moi descendre ! Laissez-moi la voir de près. Soyez patient, soyez généreux ! Si vous saviez comme je souffre. Si c'était la tulipe qu'on m'a volée… il faut que j'aille la voir, vous me tuerez après si vous voulez.

– Taisez-vous malheureux et rentrez vite dans votre carrosse. Voici l'escorte de Son Altesse.

Van Baerle se rejeta dans le carrosse mais il ne put résister et se remit à la portière en gesticulant et en suppliant le stathouder juste au moment où il passait. Guillaume, voyant cet homme gesticuler, donna l'ordre d'arrêter et s'informa au sujet du prisonnier.

– Permettez au prisonnier de descendre, dit le stathouder, et qu'il aille voir la tulipe noire, bien digne d'être vue au moins une fois.

– Oh monseigneur ! fit Cornélius, près de s'évanouir de joie.

Le prince continua sa route au milieu des acclamations de la foule et parvint bientôt à son estrade. Van Baerle, conduit par quatre gardes, vit enfin la fleur et en savoura les perfections et les grâces.

Guillaume, assis sur son trône, promena un regard tranquille sur la foule enivrée, et son œil perçant s'arrêta tour à tour sur les trois extrémités d'un triangle.

À l'un des angles, Boxtel frémissant d'impatience. À l'autre, Cornélius qui n'avait de regard que pour la tulipe et Rosa ; au troisième, la jeune fille vêtue de fine laine rouge brodée d'argent et couverte de dentelles tombant de ses cheveux blonds.

Le prince déroula lentement le vélin* et dit d'une voix calme :

> *Vous savez dans quel but vous avez été réunis ici. Un prix de cent mille florins a été promis à celui qui trouverait la tulipe noire.*
>
> *La tulipe noire ! Cette merveille a été trouvée et cela dans le respect des conditions de la société horticole de Harlem. L'histoire de sa naissance et le nom de son auteur seront inscrits au livre d'honneur de la ville. Faites approcher la personne qui est le propriétaire de la tulipe noire.*

Et en prononçant ces mots, le prince promena son clair regard sur les trois extrémités du triangle.

Il vit Boxtel s'élancer de son gradin.

Il vit Cornélius faire un mouvement involontaire.

Il vit enfin un officier pousser Rosa devant son trône.

Un double cri partit à droite et à gauche du trône. Boxtel foudroyé*, Cornélius éperdu*, avaient tous deux crié :

– Rosa ! Rosa !

– Cette tulipe est bien à vous, n'est-ce pas jeune fille ? dit le prince.

– Oui monseigneur ! balbutia* Rosa.

– Oh ! murmura Cornélius, elle mentait donc lorsqu'elle disait qu'on lui avait volé cette fleur ? Oh ! Voilà pourquoi elle avait

---

vélin parchemin
foudroyé écrasé, anéanti

éperdu désorienté
balbutia prononça avec difficulté

quitté Loevestein. Elle m'a trahi. Moi qui la croyais ma meilleure amie.

– Oh ! gémit Boxtel de son côté, je suis perdu !

– Cette tulipe, poursuivit le prince, portera donc le nom de son inventeur, et sera inscrite au catalogue des fleurs sous le titre de *tulipa negra baerlensis*, à cause du nom de Van Baerle, qui sera désormais le nom de cette jeune fille.

Guillaume prit la main de Rosa et la mit dans la main de l'homme qui venait de s'élancer au pied du trône. Boxtel, anéanti sous la ruine de ses espérances, venait de s'évanouir. On le releva, on interrogea son pouls* et son cœur ; il était mort.

Cornélius recula épouvanté : dans son voleur, dans son faux Jacob, il venait de reconnaître le vrai Isaac Boxtel, son voisin qu'il n'avait jamais soupçonné.

Au son des trompettes, la procession reprit sa marche. Cornélius et Rosa, triomphants, marchaient côte à côte, la main dans la main.

Quand on fut rentré à l'hôtel de ville, le prince, montrant à Cornélius la bourse aux cent mille florins d'or, dit :

– On ne sait pas trop, dit-il, par qui est gagné cet argent, si c'est par vous ou par Rosa ; car si vous avez trouvé la tulipe noire, elle l'a élevée et fait fleurir. Et donc ce ne sera pas sa dot, ce serait injuste. D'ailleurs, c'est le don de Harlem à la tulipe.

Cornélius attendait pour savoir où voulait en venir le prince. Celui-ci continua :

– Je donne à Rosa cent mille florins, qu'elle aura bien gagnés et qu'elle pourra vous offrir ; ils sont le prix de son amour, de son courage, de son honnêteté. Quant à vous, monsieur, grâce à Rosa encore, qui

pouls pulsations cardiaques

a apporté la preuve de votre innocence – en disant ces mots, le prince tendit à Cornélius le fameux feuillet de la Bible sur lequel était écrite la lettre de Corneille Witt, et qui avait servi à envelopper le troisième caïeu -, quant à vous, l'on s'est aperçu que vous aviez été emprisonné pour un crime que vous n'aviez pas commis. Donc non seulement vous êtes libre mais vos biens vous sont rendus. M. Van Baerle, vous êtes le filleul de M. Corneille de Witt et l'ami de Jean. Conservez la tradition de leurs mérites car ces messieurs, mal punis et mal jugés, étaient deux grands citoyens dont la Hollande est fière aujourd'hui.

Le prince, après ces deux mots, donna ses deux mains à baiser aux deux époux qui s'agenouillèrent à ses côtés. Puis, il remonta dans son carrosse et partit.

De son côté, Cornélius, le même jour, partit pour Dordrecht avec Rosa. On mit au courant le vieux Gryphus de tout ce qui s'était passé. Connaissant son caractère, il se réconcilia difficilement avec son gendre. Il avait sur le cœur les coups de bâton reçus. Mais il finit par se rendre pour ne pas déplaire à Son Altesse.

Devenu gardien de tulipes, après avoir été geôlier d'hommes, il fallait le voir, surveillant les papillons dangereux, tuant les mulots* et chassant les abeilles affamées.

Rosa, de plus en plus belle, devint de plus en plus savante ; et au bout de deux ans de mariage, elle savait si bien lire et écrire, qu'elle put se charger de l'éducation de deux beaux enfants. Le premier reçut le nom de Cornélius et la seconde celui de Rosa.

Van Baerle resta fidèle à Rosa, comme à ses tulipes ; toute sa vie, il s'occupa du bonheur de sa femme et de la culture des fleurs. Il trouva un grand nombre de variétés qui sont inscrites au catalogue hollandais.

---

mulots espèce de rats

Dans son salon, il n'y avait que deux ormements : deux cadres d'or contenant les deux feuillets de la Bible de Corneille de Witt.

Pour combattre les envieux, il écrivit au-dessus de sa porte : "On a quelquefois assez souffert pour avoir le droit de ne jamais dire : Je suis trop heureux." ⬛

Compréhension

1 **Répond vrai (V) ou faux (F) aux affirmations suivantes.**

	V	F
1 Rosa n'aime pas son père car il maltraite les prisonniers.	☐	☐
2 Guillaume d'Orange marche en tête de la procession de la Tulipe noire.	☐	☐
3 Boxtel considère que la tulipe est sa fille, tellement il l'a veillée.	☐	☐
4 Cornélius supplie Guillaume d'Orange de le laisser voir la tulipe.	☐	☐
5 Rosa a fait tous ses efforts pour s'habiller et ressembler à la tulipe.	☐	☐
6 Guillaume d'Orange demande de faire approcher le propriétaire de la tulipe.	☐	☐
7 Cornélius reconnaît finalement son voleur en voyant Boxtel.	☐	☐
8 Cornélius peut épouser Rosa mais Gryphus continuera à le surveiller chez lui.	☐	☐

Grammaire

2 **Complète les phrases avec les expressions temporelles qui conviennent.**

> quand • ~~pendant~~ • dès que • tandis que • pendant que •
> chaque fois que • jusqu'à ce que

Pendant le voyage, Cornélius posait des questions à l'officier.

1 Rosa est tombée amoureuse de Cornélius _____ elle l'a vu au Buitenof.

2 Cornélius restera en prison _____ Guillaume n'en aura pas décidé autrement.

3 _____ la procession avançait, le stathouder montait sur l'estrade pour remettre le prix au vainqueur.

4 La foule saluait le stathouder _____ Guillaume faisait un geste pour saluer.

5 _____ Guillaume a demandé de faire approcher le propriétaire de la tulipe, Cornélius a fait un mouvement involontaire.

6 Boxtel contemplait les florins _____ que Cornélius contemplait la tulipe noire.

3 **Conjugue les verbes au passé simple.**

Nous (*voir*) _____vîmes_____ Rosa et la tulipe comme deux orphelines.

1 Le prince (*caresser*) _____ son lévrier.

2 Le père de Rosa (*être*) _____ méchant avec les prisonniers.

3 Harlem et ses habitants (*vouloir*) _____ faire une cérémonie inoubliable.

4 Toi, Cornélius, tu (*craindre*) _____ ne plus jamais revoir ni Rosa ni la tulipe.

5 Grâce à Guillaume, vous (*connaître*) _____ le nom du propriétaire de la tulipe.

6 Boxtel (*mourir*) _____ anéanti sous la ruine de ses espérances.

Vocabulaire

4 **Connais-tu le langage des fleurs ? Associe correctement les fleurs aux déclarations amoureuses.**

1 ☐ Personne ne sait que je vous aime.
2 ☐ Je vous aime à la folie.
3 ☐ Vous êtes le soleil de ma vie.
4 ☐ Pardonnez-moi mon infidélité.
5 ☐ Je souffre intensément.
6 ☐ Vous m'inspirez de l'antipathie.

a Le tournesol
b L'œillet violet
c Le mimosa
d La tulipe noire
e La rose rouge
f La rose jaune

Alexandre Dumas (1802-1870)

Alexandre Dumas a écrit plus de 250 volumes et reste l'un des romanciers les plus féconds du dix-neuvième siècle. Il a ouvert la voie à un nouveau genre littéraire dans lequel s'inscrit *La tulipe noire* : le roman-feuilleton.

Sa vie

Dumas a passé son enfance à Villers-Cotterêts, dans l'Aisne et est mort à Puys, à côté de Dieppe dans la Seine-Maritime. Fils d'un général d'origine créole, la couleur de sa peau lui a souvent coûté les sarcasmes* de ses contemporains qui le considéraient un « nègre ». Quand il sort du collège, il ne sait pratiquement rien et ne possède que quelques livres comme la Bible, *Robinson Crusoé* ou les *Contes de mille et une nuits*. Pour échapper à la pauvreté qui frappe sa famille après la mort de son père, il se rend à Paris où il travaille d'abord comme employé de bureau. Dumas a eu plusieurs liaisons amoureuses, en particulier celle avec une jeune couturière mère d'Alexandre Dumas fils. Ce dernier souffrira beaucoup car il fut initialement déclaré enfant naturel, de père et de mère inconnus et mis en pension. Son père ne le reconnaîtra que plus tard.

Dumas et la Comédie Française

À Paris, il découvre la Comédie Française, la seule institution théâtrale d'État disposant d'une troupe d'acteurs permanents. Le théâtre commence à le passionner et il devient un lecteur de Shakespeare, Byron, Walter Scott et Schiller. En 1829, son drame *Henri III et sa cour* est joué sur scène à la Comédie Française et obtient un franc* succès bien que qualifié de « scandale en vers ». Dumas gagne beaucoup d'argent en cette période de gloire mais il le dépense au même rythme qu'il ne le gagne.

Les problèmes financiers

En 1848, il entre dans une phase délicate. Son style de vie étant trop élevé, il est couvert de dettes* et ses créanciers* le poursuivent. Il doit s'enfuir à Bruxelles où il écrit ses *Mémoires*. Trois ans après, il revient à Paris et tente de regagner le succès mais les goûts littéraires ont changé : le romantisme a laissé sa place au réalisme. Il meurt donc sans avoir retrouvé sa célébrité.

Activité

Le fils d'Alexandre Dumas a écrit des romans, des pièces théâtrales, des essais. Son œuvre la plus célèbre a inspiré Verdi pour *La Traviata*. C'est une histoire d'amour entre un jeune bourgeois et une courtisane. De quel roman s'agit-il ?

a ☐ Le collier de la reine.
b ☐ La Dame aux camélias.
c ☐ La Reine Margot.

---

sarcasmes insultes
franc ici, grand

dettes sommes d'argent dues
créanciers personnes auxquelles on doit de l'argent

Dumas dans le panorama littéraire du 19ème siècle

Le vaudeville

À l'origine, le vaudeville devait son nom aux chansons normandes que l'on chantait dans le Val-de-Vire. Avec le temps, les Vaux-de-Vire devinrent des vaudevilles, c'est-à-dire des chansons qui courent par la Ville : des « voix de ville ». L'air* était facile à chanter et les textes parlaient d'actualité. Au XIXe, le mot change de sens pour désigner une comédie populaire légère, pleine de rebondissements* et les chansons disparaissent. Alexandre Dumas a écrit de nombreux vaudevilles comme *La chasse et l'amour*, sa toute première pièce. Le théâtre chanté prend alors le nom d'«opérette» : c'est une synthèse comique du théâtre et de l'opéra, et son plus grand représentant est Jacques Offenbach.

Les « nègres littéraires »

Ce procédé était très fréquent à l'époque de Dumas. En fait, il s'agissait de collaborations, on recourait à des auteurs anonymes. Plusieurs plumes* ont contribué à l'œuvre de Dumas, en particulier Auguste Maquet auquel notre auteur fait appel car il tenait à ce que sa trame narrative s'enracine dans un contexte historique et géographique réel. De cette collaboration sont nés *Les trois Mousquetaires, la Reine Margot, La tulipe noire*... Dumas devra mettre un terme à cette collaboration à cause de ses soucis d'argent n'arrivant plus à payer son « nègre littéraire » avec régularité.

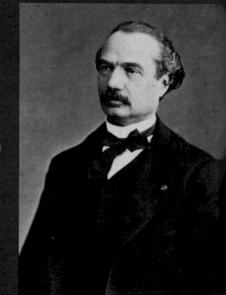

Le roman-feuilleton

À l'époque de Dumas, le roman-feuilleton était un mode de publication très fréquent. Il a permis de rendre la lecture accessible à tous et cela à un prix abordable vu que les romans étaient publiés en épisodes dans les journaux. De grands auteurs comme Honoré de Balzac, George Sand et Eugène Sue ont contribué au développement de la littérature populaire.

La tulipe noire paraît en feuilleton dans le journal *Le Siècle* du 4 juillet au 21 août 1850. On y retrouve les thèmes les plus chers à Alexandre Dumas : la cruauté*, la vengeance, le complot, la captivité et l'amour.

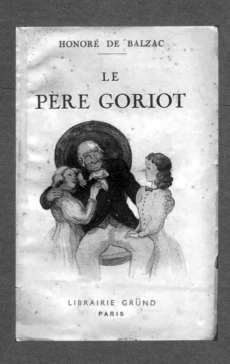

Activité

Attribue les œuvres aux auteurs du 19ème siècle suivants.

1 ☐ Alexandre Dumas
2 ☐ Honoré de Balzac
3 ☐ George Sand
4 ☐ Eugène Sue
5 ☐ Stendhal
6 ☐ Victor Hugo
7 ☐ Prosper Mérimée
8 ☐ Flaubert

a Le rouge et le noir
b La Mare au diable
c La Vénus d'Ille
d Les mystères de Paris
e Le comte de Monte-Cristo
f Les misérables
g Madame Bovary
h Le père Goriot

air ici, mélodie
rebondissements coups de théâtre

plumes ici, écrivains
cruauté violence

Le monde de Dumas

Le château de Monte-Cristo

Pendant sa période de gloire, Alexandre Dumas gagne bien sa vie et fait construire le château de Monte-Cristo dans un parc. Ce château style renaissance est entouré de jardins à l'anglaise. Lorsqu'il fait faillite, le château est racheté par un industriel. Dans les années 60 il est complètement abandonné et risque la démolition. Un historien, Alain Décaux, crée la Société des Amis d'Alexandre Dumas et, avec l'aide de trois communes, il réussit à le sauver.

Le château d'If

C'est ainsi que Dumas avait appelé son cabinet de travail où il s'enfermait pour écrire. Situé sur un îlot, sur les façades de ce petit château néogothique entouré d'eau, on trouve des inscriptions gravées* dans la pierre : il s'agit des titres de certaines de ses œuvres.

La Société des Amis de Charles Dumas
Cette société s'occupe de faire connaître les œuvres de Dumas et publie chaque année un Cahier Dumas. Elle s'occupe aussi de l'animation culturelle du château de Monte-Cristo : expositions, nuits théâtrales, visites guidées et théâtralisées...

Le théâtre-Historique

Dumas fait construire ce théâtre en 1847 à Paris, Boulevard du Temple. Il pouvait accueillir jusqu'à 2000 spectateurs et Dumas l'avait construit pour promouvoir* la version théâtrale de ses œuvres. C'est *la Reine Margot*, une pièce en douze actes, qui inaugure le théâtre. Trois ans plus tard, le théâtre fait faillite après avoir joué aussi des pièces de plusieurs auteurs européens, de Shakespeare à Goethe. C'est à cette occasion que, ruiné, Dumas est obligé de revendre son château aux enchères*.

Curiosité

Après la faillite de son théâtre, Dumas s'enfuit et s'exile en Belgique pour quelque temps. Il continue toutefois à écrire et produit un *Grand dictionnaire de cuisine*. L'écrivain est en effet un grand gastronome. Complète l'une de ses citations à ce sujet.

paresse • estomac • souvent • jour • forces • ordre • travail

L'homme reçut de son **(1)** _____, en naissant, l'**(2)** _____ de manger au moins trois fois par **(3)** _____, pour réparer les **(4)** _____ que lui enlèvent le **(5)** _____ et, plus **(6)** _____ encore, la **(7)** _____.

gravées inscrites
promouvoir publiciser

aux enchères vente au meilleur offrant

La tulipe noire : le contexte historique

La tulipe noire est un roman inséré dans la période historique que l'on appelle le Grand Siècle, c'est-à-dire le 17ème siècle qui est l'une des périodes les plus riches de la France.

La politique étrangère du Roi Soleil

Pendant presque la moitié de son règne Louis XIV fait la guerre : il veut conquérir des territoires pour éloigner au maximum les frontières de Paris et manifester sa puissance et obtenir la gloire par les armes. Grâce à l'action du marquis de Louvois il crée une puissante armée, il développe une marine de guerre capable de rivaliser avec celle des Anglais ou des Hollandais. En temps de paix il annexe de nombreux territoires, ce qui provoque l'hostilité des autres princes européens. Jusqu'en 1685, Louis XIV impose sa volonté à l'Europe.

Guillaume III d'Orange

Guillaume III d'Orange est le stathouder des Provinces-Unies mais comme il est trop jeune pour gouverner, chaque province est gouvernée par un « pensionnaire ». En 1667, la fonction de stathouder est abolie par Jean de Witt, le grand-pensionnaire de Hollande, qui voudrait établir un régime plus républicain. Les Provinces-Unies sont envahies en 1672 par les troupes du roi Louis XIV, et le pays doit faire face à une guerre contre l'Angleterre. Jean de Witt est tué au cours d'une émeute*, et les provinces nomment Guillaume III stathouder des Provinces-Unies.

La guerre de Hollande

La guerre de Hollande (1672-1678) oppose la France de Louis XIV aux Provinces-Unies, à l'Espagne, à l'empereur du Saint-Empire romain germanique. Louis XIV veut punir les Provinces-Unies de leur attitude envers la France. Inquiètes, celles-ci menacent de s'allier à l'Espagne. De plus Louis XIV est furieux contre les livres et les pamphlets imprimés en Hollande et qui critiquent sa politique.

Les Provinces-Unies sont un grand pays commerçant et le ministre Colbert pousse Louis XIV à ruiner par la guerre la puissance hollandaise pour permettre à la France de récupérer une partie de ce commerce maritime et les revenus considérables qui en découlent*.

Activité

Qui était Colbert ? Quel rôle recouvrait-il à la cour de Louis XIV ?

a ☐ Secrétaire d'Etat de la guerre.

b ☐ Grand Chambellan de France.

c ☐ Ministre des affaires économiques et financières.

émeute révolte

découlent dérivent

BILAN

1 Réponds aux questions.

1 Quels sont les liens entre l'histoire de la tulipe noire et la période historique dans laquelle elle s'enracine ?

2 Parmi les personnages du roman, lequel préfères-tu et pourquoi ?

2 La santé. Lis les définitions et complète les mots croisés.

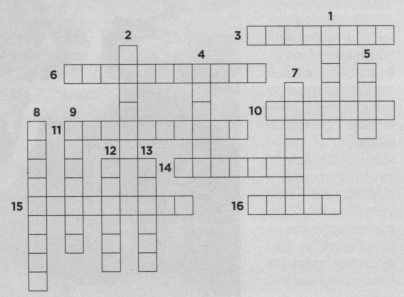

1 Le contraire de fort.	10 Ce qu'on éprouve quand on a mal quelque part.
2 Quand on a de la température.	11 Tickelear en était un.
3 Quand on a de fortes douleurs.	12 Cornélius les utilise pour envelopper le bras de Gryphus.
4 Personne à laquelle il manque un membre.	13 Le contraire de vivre.
5 Pluriel de mal.	14 Le métier de Cornélius avant d'être tulipier.
6 Lamentation.	15 Perdre ses sens.
7 S'occuper d'un malade.	16 Corneille de Witt n'en a plus pour se lever.
8 Plaies.	
9 Corps sans vie.	

CONTENUS

Vocabulaire

La violence

La justice

Le langage amoureux

L'horticulture

Les expressions idiomatiques

Le corps et la santé

Le langage des fleurs

Grammaire

Les adverbes

L'emploi des prépositions

Passé composé ou imparfait ?

Les phrases hypothétiques

Le style indirect

Le passé simple

Les expressions temporelles

LECTURES ⧉ELI⧉ SENIORS